LLYTH

LLYTHYRON O'R BEDD

FELICITY EVERETT

Addasiad
SIÂN LEWIS

Argraffiad Cymraeg cyntaf—Mai 1997

ISBN 1 89502 409 2

ⓗ Usborne Publishing Ltd., 1996
ⓗ y testun Cymraeg: Siân Lewis, 1997
Teitl gwreiddiol: *Letters from the Grave*

Cyhoeddwyd gyntaf yn 1996 gan Usborne Publishing Ltd.,
Usborne House, 83-85 Saffron Hill, Llundain EC1N 8RT

Dymuna'r cyhoeddwyr gydnabod cymorth
Adrannau Cyngor Llyfrau Cymru.

Cyhoeddwyd dan gynllun comisiynu
Cyngor Llyfrau Cymru.

Argraffwyd gan
Wasg Gomer, Llandysul, Ceredigion

Agorodd Mel fotwm coler ei blows. Roedd hi'n teimlo mor boeth. Ac yn sydyn roedd y stafell ddosbarth yn llethol. Doedd dim awel o wynt. Roedd hi fel diwrnod poeth ganol haf, er bod y glaw yn pistyllio tu allan a'r gwynt yn chwythu'r dail ar yr iard.

Daliai Mel i ganu, fel pe mewn breuddwyd, ond teimlodd ei gwddw'n tynhau. Yn sydyn roedd hi'n anodd anadlu. Ac fe sylweddolodd hi pam. Roedd cwmwl tenau o lwch sialc yn hongian yn yr awyr. Dawnsiai'r gronynnau bach o flaen ei llygaid. O ble daethon nhw?

Yna sylwodd Mel ar y bwrdd du. Roedd neges yn dod i'r golwg yn y llwch sialc. Neges mewn llythrennau mawr main. Neges gan law anweledig.

CYNNWYS

Mae hi *mo*r glyfar

'Wel, mae hon yn sefyll allan!' sibrydodd Steffi Beynon wrth ei ffrind Mel, pan gerddodd y ferch newydd i mewn i'r stafell ddosbarth. 'Hi yw'r enwog Non Rhydderch, siŵr o fod. Bo-ring!'

Newydd gyrraedd Ysgol Uwchradd Harriet Llwyd oedd Non—dair wythnos ar ôl cychwyn tymor yr Hydref—ac wrth gwrs roedd hi wedi tynnu sylw Steffi.

Chwarddodd Mel yn nerfus. Oedd, roedd golwg od ar Non. Gyda'i chroen gwelw, ei bochau pantiog a'i ffluwch o wallt coch roedd hi'n denu llygaid pawb.

Roedd hi'n dal, yn lletchwith ac yn rhy fawr i'r dillad ysgol ail-law a wisgai mor barchus. Roedd hi'n debycach i ddymi mewn ffenest siop na pherson o gig a gwaed.

A beth am ei llygaid—llygaid llwyd-olau mor welw ac oeraidd â darnau o iâ? Roedden nhw mor dreiddgar nes codi ofn ar Mel.

Tybed oedd Steffi â'i chyllell yn y ferch newydd yn barod? Doedd Mel ddim yn siŵr. A phetai hi'n camddeall ac yn rhoi'i throed ynddi, byddai Steffi'n siŵr o roi llond ceg iddi . . . er bod Mel yn un o'i ffrindiau agosaf.

Penderfynodd Mel gadw'n dawel, nes deall beth yn union oedd bwriad Steffi. Fel mae'n digwydd, gwallt Non oedd wedi tynnu sylw ei ffrind.

Teimlai Mel beth trueni dros Non. Hen dro iddi dynnu sylw Steffi am y rhesymau anghywir. Roedd gan Steffi ddylanwad. Doedd hi ddim mor boblogaidd â hynny, er bod rhai o'r dosbarth—yn enwedig y bechgyn—yn mwynhau ei hiwmor sarcastig. Na. Roedden nhw'n parchu Steffi, yn ei hofni hyd yn oed.

Os nad oeddech chi'n perthyn i giang Steffi, y peth calla i'w wneud oedd ymuno â hi neu gadw allan o'i ffordd. Fel arall, gallai Steffi wneud bywyd yn anodd i chi. Dyna fyddai'n digwydd i Non Rhydderch.

Roedd Non wedi symud i Ysgol Uwchradd Harriet Llwyd o ysgol breifat i ferched allan yn y wlad. Yn ôl y si, roedd hi wedi arfer â bywyd moethus, tŷ mawr gyda phwll nofio a'i phoni ei hun hyd yn oed. Nes i'w thad golli'i swydd. Yna bu raid i'r teulu symud i fyw at hen fodryb i Non mewn ardal go dlawd o Dredalar. O leiaf dyna oedd y stori pan gyrhaeddodd Non gyntaf, ond mewn ysgol gall stori dyfu a newid.

Ta beth, roedd Non yn ferch newydd a oedd yn ystyried ei hun yn well na phawb arall. Felly, yn ôl Steffi, roedd hi'n haeddu tipyn bach o 'sylw'.

I ddechrau fe gafodd hi'r un driniaeth â phob disgybl newydd—tipyn o bryfocio a thynnu coes.

'Ble mae'r toiled?' gofynnodd Non i Steffi yn ystod egwyl ei bore cyntaf yn yr ysgol.

'Cer i ben draw'r coridor, tro i'r chwith ac fe weli di'r drws gyferbyn â'r stafell athrawon,' meddai Steffi gyda winc fawr i'w ffrindiau wrth i Non fynd i ffwrdd. 'Mae'r drws yn stiff, felly gwthia fe'n galed.'

'Ti newydd ei hanfon hi i doiled yr *athrawon*,' meddai Tony.

Wrth gwrs roedd pawb yn gwybod hynny. Roedd llais cynddeiriog Miss Cawley i'w glywed ar hyd y coridor.

'*Rhag dy gywilydd di'n gwthio dy ffordd i mewn fan hyn, ferch! Does gan ddisgyblion ddim hawl i ddefnyddio'r stafell 'molchi 'ma.*'

'Wel, ddwedodd hi ddim pa doiled,' meddai Steffi'n ddiniwed.

Yn ddiweddarach, yn y wers Ffrangeg, atebodd Non dri chwestiwn yn berffaith, mewn acen Ffrengig ffantastig. Roedd Mademoiselle Papin wedi gwirioni'n lân ac fe dreuliodd y ddwy ddeg munud yn parablu'n huawdl am drefi gwyliau yn Ffrainc.

Syllodd pawb arall yn gegagored. Oedd y ddwy wedi disgyn o blaned arall?

'O, mae hi mor glyfar,' meddai Steffi'n wawd-lyd, gyda thinc o eiddigedd yn ei llais. Roedd hi wedi gwylltio, sylwodd Mel. Gas gan Steffi gael ei hanwybyddu. Roedd hynny'n waeth na gorfod dioddef person clyfar. Felly amser cinio penderfynodd Steffi dalu'r pwyth yn ôl i Non.

'Pwlsi hashi dychlyn merchan newyddydd?' meddai wrth Mel pan oedd y ddwy'n sefyll y tu ôl i Non yn y ciw cinio.

'Be?' meddai Mel yn syn. Nodiodd Steffi i gyfeiriad Non gydag winc awgrymog.

Deallodd Mel a dechrau siarad dwli. 'Ia, misis snobli crinc,' meddai.

'Bendelisdis bwgansi et très pen-bach, n'est-ce pas?' meddai Jason, gan fachu ar y cyfle i ddangos ei fod e'n gallu siarad iaith dramor hefyd.

Erbyn hyn roedd Non wedi deall eu bod yn siarad amdani. Aeth i eistedd ar ford wrth ei hunan ym mhen draw'r ffreutur. A hyd yn oed wedyn fe ddaliodd giang Steffi i sbecian arni a chwerthin.

Teimlodd Mel bwl o drueni, nes iddi gofio fod Non wedi dangos ei hun yn y wers Ffrangeg. Roedd hi'n haeddu popeth. Yr hen swot.

Ar draws y stafell cyfarfu llygaid y ddwy. Crynodd Mel wrth i lygaid llwydlas Non hoelio arni a threiddio i'w hymennydd. Gydag ymdrech fawr llwyddodd i edrych draw a chanolbwyntio ar orffen el logwit.

2

Gwir bob gair

Y prynhawn hwnnw, pan oedd Non Rhydderch rhwng dwy wers a heb syniad ble i fynd nesaf, ofynnodd hi ddim i Steffi am help. Aeth at ferch nerfus wallt-golau o'r enw Sara James.

Doedd Sara ddim yn perthyn i giang Steffi. Roedd yn well gan Sara ei chwmni ei hun. Er ei bod hi'n annibynnol, doedd hi byth yn rhoi trafferth i Steffi. Ond yn anffodus i Non, fe glywodd Steffi.

'Hanes sy nesa. Yn stafell saith. Drws nesa i'r llyfrgell, ontefe, Sara?'

Atebodd Sara 'run gair, dim ond dianc i fyny'r grisiau, ddwy ris ar y tro.

Dyn caled oedd Mr Bennett, yr athro hanes. Roedd hyd yn oed Steffi yn moeli'i chlustiau pan fyddai Mr Bennett mewn tymer ac roedd hi'n amlwg i bawb, pan gerddodd e i mewn i'r dosbarth y diwrnod hwnnw, fod ei hwyl e'n ddrwg.

'Nawr te 8C. Ifan Arswydus. Pwy oedd e?' rhuodd gan daflu profion yr wythnos gynt yn un pentwr blêr ar y ddesg.

'Athro hanes 8C,' meddai Jason dan ei wynt a

13

byrlymodd chwerthin drwy'r dosbarth. Druan o Jason.

'Ar dy draed, Taylor,' meddai Mr Bennett wrth Jason mewn llais tawel, bygythiol. 'Chlywes i ddim be ddwedest ti. Dwed e eto i'r dosbarth gael clywed.'

Symudodd Jason o un droed i'r llall.

'Dim byd, syr.'

'Dim byd, wir. Dere nawr. Roedd dy ffrindie di'n chwerthin. BE DDWEDEST TI?'

Yr eiliad honno daeth Non i mewn i'r dosbarth gan ymddiheuro am fod yn hwyr. Soniodd hi 'run gair am Steffi a'i thric. Daliodd gweddill y dosbarth eu hanadl.

Sobrodd Mr Bennett ar unwaith a gwenodd wên fach ffug.

'Mae'n wir ddrwg gen i, 'merch i. Fe ddechreuon ni hebddoch chi. Maddeuwch i ni am fod mor anfoesgar. Fe ddylen ni fod wedi aros pum munud rhag ofn bod rhywun yn hwyr.'

Gwenodd Non. Doedd hi ddim yn 'nabod Mr Bennett a sylwodd hi ddim ar y dosbarth yn gwingo. 'O,' meddai. 'Dwi'n deall yn iaw. . .'

'RHAG DY GYWILYDD DI'N HWYLIO I MEWN I 'NOSBARTH I BUM MUNUD YN HWYR A DWEUD DY FOD TI'N DEALL YN IAWN! PWY WYT TI'N FEDDWL WYT TI?'

Cafodd Non druan ddau bryd o dafod—ei siâr hi a siâr Jason.

Bob yn hyn a hyn fe agorai ei cheg i ymddiheuro, ond doedd dim taw ar Mr Bennett. Roedd e'n dal i daranu. Swniai'n fwy a mwy cynddeiriog, yn fwy a mwy coeglyd nes i lygaid llwyd rhyfedd Non ddechrau llosgi. Roedd hyn mor annheg. Fyddai Mel wedi synnu dim petai hi'n beichio crio . . . ond nid un fel'ny oedd Non.

Wrth wylio Non yn cael pryd o dafod, roedd gwên foddhaus ar wyneb Steffi.

Trodd Mel oddi wrthi mewn cywilydd. Yn sydyn teimlai'r stafell yn oer . . . yn oer iawn. Roedd croen gŵydd ar ei gwegil er ei bod yn dal i wisgo'i siaced a phob drws a ffenest ynghau.

Yna, o gil ei llygad, sylwodd ar symudiad bach ar ddesg Mr Bennett. Symudiad bach, bach.

Dyna fe eto! Roedd y pentwr o bapurau profion ar y ddesg yn siffrwd yn ysgafn fel petai awel fach yn chwythu drostyn nhw.

Teimlodd Mel gryndod arall. Pa ots os oedd y papurau'n ysgwyd? Pam oedd hi'n poeni gymaint? Achos roedd hi *yn* poeni.

Anghofiodd Mel am Mr Bennett a Non a syllodd mewn rhyfeddod ar y papurau'n symud. O flaen ei llygaid, trodd y siffrwd yn ysgwyd a chyn hir roedd y papurau'n cyhwfan yn wyllt fel pe bai gwynt cryf yn chwythu—er nad oedd drafft yn y stafell.

'Ac os digwyddith hyn eto . . .,' meddai Mr Bennett, ei wyneb yn fflamgoch, a'i lais yn dechrau cracio ar ôl yr holl weiddi.

Yn sydyn sylweddolodd nad oedd neb ond Non

yn gwrando arno. Roedd rhywbeth arall yn tynnu sylw'r lleill.

Wrth i'r athro dawelu, sylwodd yntau ar y cynnwrf ar y ddesg. Rhwbiodd ei freichiau'n galed wrth deimlo'r oerfel yn gafael ynddo.

Agorodd ei geg i weiddi ar bwy bynnag oedd yn chwarae â'r papurau, ond doedd neb ar eu cyfyl. Neb!

Doedd neb yn agos at y ddesg na'r papurau.

Erbyn hyn roedd y ddesg ei hun yn crynu—yn araf i ddechrau, yna'n fwy a mwy ffyrnig. Ysgydwai'r clawr fel drws mewn storm. Allai'r dosbarth ddim credu'u llygaid! Roedd y ddesg yn strancio yn union fel petai . . . fel petai'n fyw.

Edrychodd Mel o'i chwmpas yn wyllt. Os mai daeargryn oedd hwn, roedd e'n ddaeargryn rhyfedd iawn. Dim ond un dodrefnyn oedd yn symud. Safai popeth arall yn llonydd. Rhedodd diferyn o chwys i lawr ei gwegil.

Pan oedd y ddesg bron â disgyn i'r llawr, cododd y papurau fel corwynt i'r awyr. Chwyrlïon nhw am foment a chlywodd Non sŵn hymian rhyfedd yn ei chlustiau. Yna fe hedfanon nhw ar draws y stafell un ar y tro, *fel petai llaw anweledig yn eu hyrddio* . . . yn syth i wyneb syn Steffi Beynon.

Neidiodd Steffi ar ei thraed, fel petai haid o wenyn yn ymosod arni. Fflapiodd ei breichiau a gwichian mewn panig, ond aeth neb i'w helpu.

Roedd pawb wedi'u rhewi i'r unfan mewn

rhyfeddod a braw. Allai Mel ddim symud o'r fan, fel anifail wedi ei ddal yng ngolau car.

Yna, wedi i'r darn olaf o bapur—a Steffi ei hun —ddisgyn i'r llawr, chwalwyd yr hud a dechreuodd pawb siarad ar draws ei gilydd.

'Beth ar y ddaear . . .?'

'Weles i 'rioed shwd beth.'

'Welest ti fe?'

'Wyt ti'n iawn, Steffi?' Dododd Mel ei braich, yn nerfus braidd, am ysgwydd Steffi, ond ysgydwodd Steffi hi i ffwrdd.

'Wrth gwrs 'mod i'n iawn,' meddai. 'Hen ddesg simsan a chwa o wynt, dyna i gyd oedd e. Dwyt ti ddim yn disgwyl i fi golli cwsg o achos hynna, wyt ti?' Ond roedd Mel yn 'nabod Steffi'n dda. Gwyddai fod Steffi wedi cael braw, 'run fath â phawb arall.

Penderfynodd Mr Bennett mai tric clyfar oedd y cyfan a chadwodd y dosbarth ar ôl ar ddiwedd y prynhawn. Roedd rhaid iddyn nhw aros yn y stafell am awr, ond gan nad oedd neb yn fodlon cyfaddef y 'tric plentynnaidd', fe gawson nhw fynd adref o'r diwedd.

Roedd gan y dosbarth farn hollol wahanol. Cyn bo hir fe ddechreuon nhw siarad am bwerau goruwchnaturiol, poltergeists . . . a grymoedd rhyfedd. Roedd pawb yn fwrlwm o gyffro ac ofn. Beth oedd wedi digwydd yn y stafell ddosbarth?

Jason Taylor ddaeth â pawb at eu coed. 'Os *oes* gan rywun yn 8C bwerau goruwchnaturiol,' meddai, 'chwythwch Mr Bennett i gartre hen bobol ar unwaith. Peidiwch â'u gwastraffu nhw ar bentwr o bapure.'

Chwarddodd pawb, ond yn ansicr braidd. Diwrnod od fu diwrnod cyntaf Non Rhydderch yn Ysgol Uwchradd Harriet Llwyd. Ond roedd gwaeth i ddod!

3

Gelynion

'Dyw hi ddim cynddrwg â hynny,' meddai Matt wrth Mel, pan oedd y ddau ffrind ar eu ffordd i'r stiwdio ddrama yr wythnos ganlynol.

'Pwy?'

'Non. Fe fues i'n siarad â hi ar y ffordd adre o'r ysgol. O cê, mae hi'n wahanol, ond mae gyda hi ddiddordeb mewn pob math o bethe.'

'Oes e?' meddai Mel, gan rolio'i llygaid 'run fath â Steffi. 'Be? Siarad Ffrangeg, bod yn neis-neis, trefnu blode, gwneud basgedi?'

'Callia, wnei di,' meddai Matt yn ddiamynedd. 'Mae hi'n hoffi ffilmie gwyddonias, *virtual reality*, miwsig . . .'

Edrychodd Mel yn amheus. 'Y ffordd mae hi'n *syllu*—mae'n hala cryndod drwydda i,' meddai. 'Mae hi mor welw a'i llygaid mor fawr a llwyd. Mae hi fel rhyw . . .' dewisodd ei geiriau'n ofalus . . . 'fel rhyw ddymi fyw.'

'Wel, dyw pawb ddim yn siwpyr-model,' meddai Matt yn goeglyd. Gwenodd Mel yn gam. Doedd hi ddim yn siwpyr-model ei hun, ond o leia doedd hi ddim yn od.

19

'Siwpyr-model?' meddai Steffi, oedd newydd gerdded i mewn i'r stiwdio. 'Wyt ti'n siarad amdana i 'to, Matt?'

'Dweud oedd Matt ei fod e a Non yn dipyn o ffrindie,' meddai Mel.

Gwgodd Steffi. Ond ar unwaith diflannodd yr wg a daeth gwên fach wirion, gariadus, i'w hwyneb. Roedd hi'n cymryd arni mai hi oedd Matt.

'O Non, fy Non fach annwyl i,' meddai Steffi, gan ddisgyn ar un ben-glin a gwasgu ei dwylo'n ddramatig dros ei chalon. Roedd mwyafrif y dosbarth wedi sylwi arni ac yn chwerthin a phwnio'i gilydd. Cochodd Matt at ei glustiau.

Safai Non o'r neilltu. Roedd hi'n esgus edrych ar yr hysbysfwrdd, ond roedd hi'n gwneud llygaid bach ac fe wyddai Mel ei bod hi'n gwylio Steffi ac yn gwrando arni.

Teimlodd Mel beth cywilydd am mai hi oedd wedi achosi'r helynt drwy ailadrodd geiriau Matt. Teimlodd gywilydd . . . a hefyd rhyw fymryn o ofn.

Roedd Non mor dawel, mor oeraidd, roedd hi'n codi ias ar Mel. Doedd Non ddim yn ymateb fel y dylai hi. Fe ddylai hi gael siom neu golli'i thymer, neu ateb yn ôl, yn lle sefyll fel'na mor cŵl . . . yn gwrando, yn gwylio, yn syllu.

Aeth gweddill yr wythnos heibio heb ragor o helynt. Yn Ysgol Harriet Llwyd âi bywyd yn ei flaen fel arfer. Gweithiai Non yn dawel yn y dosbarth. Yng nghwmni ei hychydig ffrindiau roedd hi'n ferch ysgol gyffredin—ac nid y ddelw a gâi ei phryfocio gan Steffi.

Ond yn y wers olaf ar ddydd Gwener, sef Cemeg, gwnaeth Non gamgymeriad. Fe gododd ei llaw i ateb cwestiwn.

'Ie, ti, ferch newydd. Paid â bod yn swil. Os cei di'r ateb yn anghywir, wna i ddim cnoi,' meddai Miss Griffiths, yr athrawes wyddoniaeth.

'Plwm,' meddai Non.

'Da iawn ti. Mae'r llythrennau "Pb" yn golygu plwm.' Gwenodd yn galonnog ar Non. 'Gwyliwch chi, 8C, mae'r ferch newydd gam ar y blaen i chi. Wrth gwrs dyw hynny ddim yn golygu ei bod hi'n glyfar o bell ffordd.'

'Na, ond mae hi'n meddwl ei bod hi,' sibrydodd Steffi.

Ychydig cyn diwedd y wers, pan oedd pawb yn tacluso'u hoffer ar ôl gwneud arbrawf, roedd rhaid i Miss Griffiths fynd ar neges.

'Sara, gofala di am y dosbarth. Dwi'n gallu dibynnu arnat ti. Pan ddo i'n ôl, rwy'n disgwyl gweld lab taclus a phob un ohonoch chi'n sgrifennu'ch canlyniadau heb ddim sŵn. Does neb—neb, cofiwch—i fod cyffwrdd â chemegau nac unrhyw offer, heblaw wrth dacluso. Deall?'

Mwmianodd pawb yn ddifater. Cerddodd Sara James at ddesg yr athrawes yn union fel petai hi'n cerdded i ffau llewod.

Crechwenodd Steffi. Nawr roedd hi'n rhyfel rhyngddi hi a Non.

Pethau'n poethi

'Nawr am hwyl,' meddai Steffi. Suddodd calon Mel. Doedd Steffi ddim wedi rhoi'r gorau i bryfocio Non. Dim ond aros ei chyfle oedd hi—y cyfle iawn i ymosod.

Cododd Steffi diwb prawf o'r fainc wrth ei hymyl a gwên gynnil ar ei hwyneb.

Roedd gan Steffi gynllun. Gwyddai Mel hynny'n iawn. Doedd anfon Non i'r stafell anghywir ddim wedi gweithio—na defnyddio geiriau yn ei herbyn chwaith. Merch galed oedd Non. Merch od hefyd. Roedd hi'n gwrthod ymateb i bryfocio Steffi, ac roedd ei llygaid llwyd mor dreiddgar.

Gollyngodd Steffi ddiferion o ddŵr tap ar ben y cemegyn gludiog ar waelod y tiwb ac ysgydwodd e i weld beth fyddai'n digwydd. Crechwenodd ar y cymysgedd ych-a-fi a herio Non â gwên oeraidd. Fe ddangosai Steffi iddi pwy oedd y bòs.

''Na grys gwyn glân sy gen ti, Non,' meddai'n fygythiol. 'Trueni i ti ei sarnu. Bydd Mami'n grac iawn â Non fach.' Camodd tuag at ei phrae.

Roedd y llwybr rhwng Steffi a Non yn wag gan

fod gweddill y dosbarth wedi gadael eu stolion a chilio i'r naill ochr yn ddistaw bach.

Nawr safai pawb y tu ôl i'r meinciau yn gwylio o bell a diolch nad oedd Steffi'n anelu amdanyn nhw.

Gorweddai fflasgiau gwydr a gefeiliau metel ar y meinciau. Diferai ambell dap i sinc seramig gwyn. Ar lwybr Steffi safai parau o losgwyr Bunsen yn llonydd, un bob ochr iddi, fel canwyll-brennau yng nghorff eglwys.

Cymerodd gam tuag at Non gan rolio'r tiwb yn chwareus rhwng bys a bawd.

'O, Steffi, rho fe i lawr,' meddai Sara James. Gwnaeth ei gorau i swnio'n ysgafn a di-lol, ond roedd ei llais fel gwichian llygoden.

'Symuda hi, Miss Parchus, neu ti fydd nesa,' meddai Steffi'n swta, heb arafu dim.

Yna'n sydyn, 'WWWSH!' neidiodd fflamau o'r llosgwyr Bunsen bob ochr i Steffi, fflamau chwyrn, gryn droedfedd o daldra.

Gwichiodd pawb. Daliodd Non ei thir.

Gwelwodd Steffi a chrynodd ei llaw. Bu bron iawn iddi sarnu cynnwys y tiwb dros ei dillad ei hun . . . Petrusodd, yna cymerodd gam arall. Syn neu beidio, doedd hi ddim am golli wyneb.

Ar ôl iddi fynd heibio, diffoddodd y ddau losgwr Bunsen, yn union fel petai ei throed wedi gwasgu swits. Roedd ei cheg yn sych.

'Dwi'n gwybod be sy'n digwydd,' meddai wrth Non. 'Dwyt ti ddim yn hala ofn arna i!'

Ond safai Non yn stond, yn denau a thal yn ei hiwnifform ddi-siâp. Wrth i Steffi nesáu, syllai i lawr arni â'i llygaid llwyd treiddgar.

Daliodd Mel ei hanadl. Roedd Steffi'n agosáu at y pâr nesaf o losgwyr Bunsen. Yn sydyn tasgodd fflamau o'r rheiny hefyd, yn union fel petai hi wedi camu drwy rym anweledig.

Y tro hwn roedd Mel yn ddigon agos i deimlo'r gwres tanbaid. Doedd y fflamau ddim yn debyg i'r fflamau bach glas arferol. Roedden nhw'n debycach i ffaglau neu rocedi argyfwng.

Beth oedd yn digwydd? Sut gallai'r llosgwyr Bunsen gynnau fel hyn? Pwy oedd yn eu rheoli? Beth oedd yn eu rheoli?

Unwaith eto, wrth i Steffi ymwroli a cherdded rhwng y llosgwyr, diflannodd y fflamau.

Erbyn hyn roedd gweddill y dosbarth ar bigau'r drain. Roedd y rhai yn y cefn, oedd heb weld y llosgwyr cyntaf yn cynnau, wedi ymwthio ymlaen, neu'n sefyll ar stolion neu ar flaenau eu traed gan sibrwd yn syn. Nawr aeth pobman yn dawel a daliodd pawb eu hanadl wrth i Steffi nesáu at Non.

Syllai Non ar Steffi, fel petai neb arall yn bod.

Sythodd Steffi ei hysgwyddau. Dim ond un pâr o losgwyr oedd yn sefyll rhyngddi hi a'i phrae. Camodd tuag atyn nhw.

Un cam ymlaen . . . yna un arall . . .

Trodd y tiwb, fel petai am arllwys y cynnwys dros ddillad Non.

Cam arall eto a . . .

'SWWWWWWWM!' Saethodd fflamau fel rocedi o'r llosgwyr Bunsen, fflamau talach a phoethach o lawer na'r rhai cynt. Ciliodd y gwylwyr mewn sioc a braw. Roedd Steffi bron â neidio o'i chroen.

Syrthiodd y tiwb i'r llawr a thorri'n deilchion. Tasgodd dotiau bach duon dros draed a choesau Steffi, ond ddisgynnodd 'run diferyn ar ddillad glân Non.

Pan gerddodd Miss Griffiths i mewn i'r lab foment yn ddiweddarach, roedd y llosgwyr Bunsen mor llonydd ag erioed, ond sylwodd yr athrawes ar y tiwb wedi torri a'r cadeiriau wedi dymchwel.

'Beth yw'r llanast 'ma a'r difrod i eiddo'r ysgol?' taranodd. 'Mae'n amlwg na alla i ddibynnu ar UNRHYW UN OHONOCH CHI. Pan fydd popeth yn lân ac yn daclus, fe gewch chi i gyd aros ar ôl a chopïo'r tabl cyfnodol yn dawel, nes i fi roi caniatâd i chi fynd.'

Wnaeth 8C ddim protestio. Roedd pawb yn rhy ddryslyd a syn. Roedd hi'n haws wynebu athrawes gynddeiriog a chosb annheg. O leia roedd hynny'n normal. Tacluswyd y lab a chopïodd pawb y tabl cyfnodol.

Soniodd neb am y digwyddiadau rhyfedd yn y wers nes cyrraedd y safle bysys. Wedyn siaradodd pawb fel pwll tro am ddewrder Steffi ac am y fflamau brawychus.

Roedd Steffi'n siŵr fod Non wedi ymhél â'r llosgwyr Bunsen. 'Non wnaeth e. Wn i ddim sut, ond arni hi mae'r bai,' meddai'n chwyrn. 'Yr hen fwgan! Beth tawn i wedi llosgi'n ulw? A drychwch ar fy sgidie i! Bydd Dad yn fy lladd i.'

Bach iawn oedd y difrod i ddillad Steffi o'i gymharu â'r bygythiad i grys Non, ond ddwedodd Mel ddim gair. Nodiodd mewn cydymdeimlad wrth i Steffi rwgnach. Ar yr un pryd clustfeiniodd ar sgwrs y tu ôl iddyn nhw.

'Wir i chi, ro'n i'n sefyll yn nes at Non na neb arall. Symudodd hi ddim gewyn. Allai hi ddim fod wedi cynnau a diffodd y llosgwyr Bunsen,' meddai Clare.

'Ond pwy arall wnaeth?' meddai Tony. 'Hi oedd agosa atyn nhw.'

'Wn i ddim. Mae'n od.' Oedodd Clare, yna meddai'n ofalus, 'Mor od â'r storm bapure yn y dosbarth y dydd o'r blaen . . . a'r ffordd yr ymosodon nhw ar Steffi.' Distewodd ei llais.

Crynodd Mel. Roedd Clare yn llygad ei lle. Roedd pethau rhyfedd yn digwydd i Steffi'n ddiweddar . . . bob tro roedd hi'n pigo ar y ferch newydd. A doedd Non yn gwneud dim ond syllu arni â'i llygaid llwyd, iasoer.

'Be sy'n bod arnat ti?' meddai Steffi'n bwdlyd.

'O, dim,' atebodd Mel gyda gwên fach ffug. Doedd dim byd tebyg wedi digwydd i Steffi erioed o'r blaen. Efallai'i bod hi'n mentro gormod.

5

Druan o Sinderela

Erbyn yr wythnos ganlynol roedd y digwyddiadau yn y lab yn rhan o chwedloniaeth Ysgol Harriet Llwyd. Ond roedd gan bawb fersiwn gwahanol. Heblaw hynny, roedd hanner 8C yn beio Non a'r hanner arall yn beio Steffi.

'Petai Non ddim mor od, fydde Steffi 'rioed wedi pigo arni. Ei bai hi yw e,' meddai un. 'Mae hi'n sbŵci. Sdim rhyfedd fod Steffi'n ei galw hi'n fwgan. Mae hi'n hala ofn arna i.'

'Ond ddylech chi ddim bwlian rhywun am ei bod hi'n edrych yn od. All Non ddim help,' meddai un arall.

'Ie, ond ti'n 'nabod Steffi. Petai hi ddim yn bwlian Non, fe fyddai'n bwlian rhywun arall. Mae hi wedi mynd yn rhy bell y tro 'ma.'

'O, ydw i wir?' meddai Steffi. Fel pob bwli, gallai ymddangos o rywle yn sydyn ac annisgwyl.

'Wyt,' meddai'r ferch gan syllu'n bowld i fyw llygaid Steffi. Edrychodd Mel arni'n syn. Roedd y ferch yn un o'r 'dyfal-doncwyr', fel roedd Steffi'n eu galw. Mae 'na rai ym mhob dosbarth—rhai

27

tawel, call a diwyd, sy byth yn dweud bw na be ac sy'n toddi i'r cefndir pan fydd 'na helynt.

Am unwaith roedd yn rhaid i Steffi amddiffyn ei hun.

'Wel, dyw hi ddim yn angel—cofia beth ddigwyddodd i'r llosgwyr Bunsen—beth tawn i wedi llosgi . . .?'

'Chyffyrddodd hi ddim â nhw, ti'n gwbod hynny'n iawn,' torrodd dyfal-doncwr arall ar ei thraws.

'Na? Wel, pwy wnaeth 'te? Ysbryd anweledig? Neu un ohonoch chi?' meddai Steffi'n wawdlyd. Camodd at y ferch a thinc bygythiol yn ei llais.

'Ie, Non gynheuodd y fflamau, neu fe gafodd hi rywun i'w helpu,' meddai Tony.

'Arhoswch chi,' meddai Steffi'n chwyrn. 'Fe wna i'n siŵr fod y bwgan snobyddlyd 'na'n talu am be wnaeth hi i fi.' Am y tro cyntaf sylwodd Mel nad oedd Steffi mor siŵr ohoni'i hun.

Rhaid ei bod hi'n colli'i gafael, os oedd y dyfal-doncwyr yn fodlon ateb 'nôl. Gwell i Steffi roi Non yn ei lle unwaith ac am byth cyn i bethau fynd dros ben llestri.

O hynny ymlaen doedd Steffi'n meddwl am ddim ond am Non. Roedd pawb wedi 'laru. Pan fyddai giang Steffi'n trafod opera sebon neu gêm fideo, roedd Steffi'n siŵr o ddod atyn nhw a dweud,

'Hei, chi'n gwbod be mae'r Bwgan yn 'i wneud

nawr?' neu, 'Mae Non yn darllen nofel gan Kate Roberts y tu ôl i'r sièd! Pathetig!'

Os oedd Non am ddarllen, beth oedd o'i le ar hynny, meddyliai rhai'n ddistaw bach. Wedi'r cyfan roedd Steffi wedi gofalu nad oedd gan Non 'run ffrind i siarad â hi. Ond feiddiai neb ddweud hynny'n blwmp ac yn blaen wrth Steffi.

Yn ystod un egwyl lawog roedd Dosbarth 8C yn eistedd yn eu stafell ddosbarth yn trafod y trip ddiwedd tymor i Ganolfan Awyr Agored Rhos Tredalar. Roedd y trip yn rhan o draddodiad Ysgol Harriet Llwyd.

'Rŷn ni'n mynd i gael gwledd ganol nos,' meddai un dyfal-doncwr mentrus.

'O, am ffantastig!' meddai Steffi. 'Rŷn ni'n mynd i gynnau tân a rhostio Miss Griffiths ar y barbeciw.' Chwarddodd mwyafrif y dosbarth yn galonnog.

'Mae Dad wedi rhoi gwersi dringo i fi. Ras i chi lan Creigiau Tredalar,' meddai Jason.

'Iawn. Byddwn ni'r bobl glyfar yn mynd lan y llechwedd ar y lifftiau sgïo,' meddai Steffi. Gwenodd pawb, hyd yn oed Jason.

'A beth amdanat ti, Non fach?' meddai Steffi'n frathog. 'Beth wyt ti'n mynd i wneud ar y trip?'

Roedd Non yn eistedd ar gadair—ac nid ar ddesg fel y mwyafrif ohonyn nhw—ac roedd hi'n darllen cylchgrawn. Cododd ei phen yn araf.

'Sori?' meddai, gan syllu ar Steffi.

'O, fe fyddi di, paid â phoeni!' meddai Steffi.

'Siarad am y trip i'r ganolfan oedden ni. Fe wnawn ni'n siŵr dy fod ti'n cael amser cyffrous.'

'Fel mae'n digwydd, alla i ddim dod,' meddai Non.

'O alli di ddim, *fel mae'n digwydd*,' meddai Steffi gan ei dynwared yn greulon. 'Pam 'te? Fyddet ti'n colli dy wersi llefaru? Neu wyt ti'n ymarfer syllu'n wallgo bob penwythnos?'

Chwarddodd y dosbarth i gyd gan roi hwb i Steffi. Chwipiai'r glaw yn erbyn y ffenestri.

'O, dwi'n deall. Dyw trip i'r ganolfan awyr agored ddim yn ddigon da i ti,' meddai'n wawdlyd. 'Rwyt ti wedi arfer sgïo yn St Moritz? Wrth gwrs mi fydde Rhos Tredalar yn dipyn o siom i ti.'

'Alla i ddim dod, achos all fy nheulu i ddim fforddio'r trip ar hyn o bryd,' meddai Non, heb arwydd o deimlad yn ei llais na'i hwyneb.

Roedd Steffi wrth ei bodd. 'O, druan o Sinderela, chei di ddim mynd i'r ddawns,' meddai'n wên o glust i glust. A dechreuodd ganu'n dawel, 'Dim dawns i ti, Sinderela ni.' Ymunodd y lleill yn y gân.

'Dim dawns i ti, Sinderela ni.' Clywodd Mel ei hun yn canu er ei gwaetha. Doedd hyn ddim yn deg, ond allai hi ddim stopio.

Agorodd fotwm ei choler. Roedd hi'n teimlo mor boeth. Ac yn sydyn roedd y stafell ddosbarth yn llethol. Doedd dim awel o wynt. Roedd hi fel diwrnod poeth ganol haf, er bod y glaw yn pistyllio tu allan a'r gwynt yn chwythu'r dail ar yr iard.

Daliai Mel i ganu, fel pe mewn breuddwyd, ond teimlodd ei gwddw'n tynhau. Yn sydyn roedd hi'n anodd anadlu. Ac fe sylweddolodd hi pam. Roedd cwmwl tenau o lwch sialc yn hongian yn yr awyr. Dawnsiai'r gronynnau bach o flaen ei llygaid. O ble daethon nhw?

Ar yr un pryd sylwodd Mel fod y canu'n distewi wrth i'r lleisiau dawelu un ar ôl y llall. A phan edrychodd i gyfeiriad y bwrdd du tagodd ei llais hithau. Roedd neges yn dod i'r golwg yn y llwch. Neges mewn llythrennau mawr main. Neges gan law anweledig.

Roedd pawb heblaw Non a Steffi yn syllu'n anghrediniol.

GADE sgrifennodd y bys anweledig . . . *GADEW* . . . Yn boenus o araf daeth y geiriau i'r golwg— *GADEWCH*—a'r stafell yn poethi o hyd ac o hyd. Aeth y gwres yn fwy a mwy llethol nes i'r awyr belydru o amgylch y bwrdd du. Gorweddai cwmwl o fygythiad dros y dosbarth.

GADEWCH LONYDD

'Dim dawns i ti, Sinderela ni . . .' Steffi oedd yr unig un oedd yn dal i ganu. Tawodd yn sydyn.

Edrychodd yn frysiog i gyfeiriad y drws gan feddwl fod athro wedi cyrraedd. Yna sylwodd ar y bwrdd du a dechreuodd ei choesau wegian gan sioc. Roedd *I* yn dod i'r golwg, ac *DD* yn ei dilyn, yna *I*. Roedd y neges yn gyflawn:

31

GADEWCH LONYDD IDDI

Roedd Steffi bron â marw eisiau rhoi'r bai ar Non, meddyliodd Mel. Ond roedd hynny'n amhosib. Rhaid bod rhyw rym rhyfedd ar waith . . . rhywbeth annaturiol . . . rhywbeth goruwchnaturiol.

Eisteddai Non yn dawel wrth ei desg, gan syllu'n syth o'i blaen a'i chorff yn hollol lonydd. Hi oedd yr unig un oedd heb gynhyrfu. Roedd hi fel petai hi ddim yno o gwbl.

Er na ddwedodd hi air, roedd Steffi wedi dychryn . . . wedi dychryn am ei bywyd.

b

Mewn du a gwyn

Aeth y dyddiau heibio. Doedd Mel erioed wedi gweld Steffi mor ddiflas. Roedd yr ysgrifen annaearol ar y bwrdd du wedi rhoi sioc iddi. Roedd hi'n welw a dryslyd.

Weithiau dôi'r hen Steffi i'r golwg gyda'i siarad mawr a'i sylwadau miniog. Ond roedd y digwyddiadau rhyfedd wedi gadael eu hôl.

Yn yr ysgol roedd pawb yn dweud jôcs am 8C a'r ysbryd.

'Glywest ti am y ferch newydd sy'n ymuno ag 8C wythnos nesa?'

'Pwy yw hi?'

'Ann Weledig.'

'Hei, mae'r Prif Weinidog yn mynd i siarad ag 8C.'

'I be?'

'I'w hysbrydoli nhw. Deall?'

Ond ar ôl gweld y digwyddiadau rhyfedd, doedd 8C ddim yn chwerthin.

Teimlai pawb yn annifyr . . . a chanolbwynt yr

holl ddiflastod oedd Non Rhydderch a'i llygaid od, treiddgar.

Roedd gan Mel deimladau cymysg ynglŷn â'r Steffi newydd. Fe wyddai, ym mêr ei hesgyrn, fod angen dysgu gwers i Steffi. Wedi'r cyfan, roedd hi'n dipyn o fwli. Ond, ar yr un pryd, roedd hi'n gweld eisiau'r hen Steffi swnllyd, ddoniol.

Un prynhawn ar yr iard, i godi calon Steffi, ceisiodd Mel ei hannog i bryfocio Non.

'Dwi newydd weld La Bwgan yn darllen llyfr Ffrangeg y tu ôl i'r sièd feiciau,' meddai.

'Y wrach, ti'n feddwl,' meddai Steffi'n dawel. 'Llyfr swynion oedd e, siŵr o fod.'

'Be?' meddai Mel yn syn. Roedd Steffi o ddifri.

'Gwrach,' meddai Steffi a golwg ddwys ar ei hwyneb. 'Non y wrach. 'Na'r ateb, ti'n gweld, i'r papure, y llosgwyr Bunsen a'r sgrifen ar y bwrdd du. Mae gyda ni wrach yn y dosbarth.'

'Wir?' meddai Mel yn grynedig. 'Wyt ti'n meddwl ei bod hi'n wrach?' A dweud y gwir roedd hithau hefyd wedi cael yr un syniad.

'Falle,' meddai Steffi. 'Does dim rhaid i wrach fodern gael dafaden ar ei thrwyn na hedfan ar ysgub, oes e?'

'Na?' meddai Mel yn ofalus. Doedd hi ddim yn siŵr a oedd hi'n deall Steffi'n iawn

'Rhaid i ni gael mwy o wybodaeth,' meddai Steffi. 'Sut rai yw gwrachod modern? Beth maen nhw'n wneud? Oes ganddyn nhw arferion rhyfedd ac yn y blaen? Roedd rhaglen am wrachod ar y teledu wythnos ddiwethaf, ond dyw Dad ddim yn fodlon i fi wylio pethe fel'na.' Roedd golwg feddylgar ar Steffi.

Dros y blynyddoedd roedd Mel wedi sylweddoli fod ar Steffi dipyn o ofn ei thad. Doedd hi byth yn sôn am ei mam o gwbl.

'O, fe weles i ran o'r rhaglen,' meddai Mel. 'Roedd 'na fenywod yn yr Eidal neu rywle yn cynnal seremonïau rhyfedd yn y coed. Roedden nhw wedi ffurfio cwfen o wrachod gwyn. Ti'n gwbod beth yw cwfen, on'd wyt ti? Grŵp o wrach . . .'

'Dwi'n gwbod beth yw cwfen,' meddai Steffi'n swta. 'Ond dŷn ni ddim yn yr Eidal. Rhaid i ni gael mwy o wybodaeth er mwyn i ni allu rhybuddio pawb am y Bwgan. Rhaid i ti fynd i'r llyfrgell drosta i, Mel.'

'Pryd?' meddai Mel yn chwithig. Edrychodd ar ei wats.

'Ar ôl ysgol heddi,' meddai Steffi.

'Alli di ddim mynd?' protestiodd Mel.

'Mae gen i neges i'w gwneud i Dad,' meddai Steffi.

'Ond dwi i fod i fynd i gael byrgyr gyda fy chwaer,' cwynodd Mel, gan wybod yn iawn y byddai'n rhaid iddi ildio i Steffi yn y diwedd. 'Beth wyt ti eisie o'r llyfrgell ta beth?'

'Meddylia,' meddai Steffi. 'Mae pawb yn gwybod bod rhyw gysylltiad rhwng Non a'r pethe sbŵci sy'n digwydd yn y dosbarth yn ddiweddar . . .'

Gwenodd Steffi am y tro cyntaf ers oesoedd. 'Os galli di gael gwybodaeth am wrachod modern ac os cynlluniwn ni'n ofalus, fe fydd hi'n hawdd perswadio'r lleill fod Non yn wrach.'

'Rwyt ti am i fi gasglu gwybodaeth am wrachod 'te?' meddai Mel. Tybed beth fyddai ymateb Non i gynllwyn Steffi?

'Ydw.' Nodiodd Steffi. 'Fydd hyd yn oed y dyfal-doncwyr ddim eisie eistedd yn ymyl rhywun sy'n cadw dol gŵyr yn llawn pinnau yn ei desg!' meddai gyda gwên fach anesmwyth.

Beth os oedd Non yn wirioneddol beryglus? Soniodd hi ddim gair am hynny.

'O cê,' ochneidiodd Mel. 'Fe a' i.'

'Iawn,' meddai Steffi. 'Gwranda, fe gwrdda i â ti wedyn ar bwys y llyfrgell yn y Parlwr Pitsa am hanner awr wedi pump. Fe gei di adrodd 'nôl i fi.'

'Dwi ddim yn hoffi pitsa . . .' cwynodd Mel, ond roedd Steffi eisoes ar ei ffordd allan.

Felly am bump o'r gloch, yn lle bwyta Mega-byrgyr a sglods gyda'i chwaer, roedd Mel yn Llyfrgell Gyhoeddus Tredalar yn darllen llyfr mawr trwm o'r enw *Enseiclopedia'r Anhysbys* gan Tomos Wranws.

Bodiodd drwyddo'n gyflym. 'Astroleg . . . Bwganod . . . Cannwyll corff   Dewiniaid . . . Dweud ffortiwn . . . Dynion hysbys . . . Gweled-igaethau,' ac yna 'Gwrachod.'

Dim ond ychydig baragraffau oedd ynddo a doedden nhw fawr o help.

GWRACHOD: gwragedd a gyhuddwyd o alw am gymorth y diafol i'w helpu i wneud castiau drwg. Drwy Orllewin Ewrop, o'r 15ed i'r 17ed ganrif, câi llawer o'r gwragedd hyn eu herlid a'u rhoi i farwolaeth.

Roedd rhaid i'r gwragedd sefyll prawf syml, er enghraifft y stôl drochi. Câi'r wraig ei chlymu i'r stôl a'i gollwng o dan y dŵr. Os oedd y wraig yn boddi, yna person meidrol oedd hi ac nid gwrach, felly roedd hi'n ddieuog (ond yn farw). Os nad oedd hi'n boddi, yna roedd hi'n wrach go iawn a châi ei llosgi wrth y stanc.

Dywedid fod gwrachod yn cwrdd mewn grŵp o 13, sef cwfen, i hudo, i ddefnyddio swynion, i droi'n anifeiliaid ac i hedfan.

Mewn un achos enwog cafodd nifer o wragedd eu herlid yn Salem yn yr Unol Daleithiau ym 1692.

'Mae'n gwneud i ti feddwl, on'd yw e?' meddai llais yn ei chlust.

Bron i Mel â neidio o'i chroen. Trodd fel top . . . Doedd neb yno. Edrychodd rhwng y silffoedd. Beth oedd hwnna? Cip o wallt coch yn diflannu y tu ôl i'r llyfrau? Non efallai? Oedd Non wedi'i dilyn?

'Mae'n gwneud i ti feddwl, on'd yw e?' meddai'r llais eto.

Cododd Mel ei phen yn syn. Wyneb yn wyneb â hi safai menyw dal, denau â phentwr o lyfrau yn ei llaw, menyw garedig yr olwg a phâr o sbectol hanner-lleuad ar flaen ei thrwyn. Gwisgai fathodyn 'LLYFRGELLYDD'.

Pam nad oedd Mel wedi sylwi ar y fenyw o'r blaen? Rhaid ei bod hi o'r golwg y tu ôl i gornel y silff.

'Mae'n ddrwg gen i. Be?' meddai Mel a'i gwynt yn ei dwrn.

Pwyntiodd y llyfrgellydd at yr enseiclopedia. 'Y busnes gwrachod 'na,' meddai. 'Roedd peryg i unrhyw wraig ddibriod a oedd ychydig yn wahanol i bawb arall, gael ei gwrthod gan gymdeithas. Neu'n waeth fyth, gael ei boddi neu'i llosgi . . . Diolch byth ein bod ni'n byw mewn oes fwy goleuedig.'

Ei gwrthod gan gymdeithas . . . yn wahanol i bawb arall . . . Petai'r llyfrgellydd ond yn gwybod, meddyliodd Mel. Doedd hi a Steffi fawr gwell na helwyr gwrachod. O cê, doedden nhw ddim yn bwriadu llosgi Non Rhydderch, ond roedden nhw am ddial arni, am ei bod hi'n wahanol.

'Rhaid i fi fynd nawr,' meddai Mel yn frysiog. Trawodd yn erbyn ei chadair wrth ruthro i roi'r llyfr yn ôl yn ei le.

Pan estynnodd hi at y silff, llithrodd yr enseiclopedia o'i gafael a disgyn yn glep ar lawr.

Roedd y llyfr wedi agor ar dudalen 'S' ac, wrth i Mel blygu i'w godi, tynnwyd ei sylw gan ddisgrifiad arbennig.

SENSITIF: person sy'n ffocws i rymoedd seicig neu i ddylanwad ysbrydion, poltergeists ayyb. Yn fwriadol neu'n anfwriadol mae'r sensitif yn trosglwyddo egni ysbrydol o fyd y bwganod, ellyllon a'r meirw aflonydd i'n byd materol ni.

Gall hyn olygu: pethau difywyd yn symud heb achos; newid tymheredd; tonnau o egni elfennol (e.e. chwythwm o wynt neu fflamau sydyn) a negeseuon o'r byd arall sy'n ymwneud â'r sensitif neu'r bobl o'i gwmpas.

Cysylltwyd llawer o'r digwyddiadau para-normal mwyaf adnabyddus, gan gynnwys rhai o'r digwyddiadau mwyaf peryglus ac erchyll, â phobl—merched yn bennaf—sy, yn ôl pob tebyg, yn sensitif.

Ym 1979, ar ôl tân anesboniadwy, syrthiodd jymbo jet a rhoddwyd y bai am y ddamwain ar rymoedd seicig y sensitif enwog, Maria Carlos. Hi oedd yr unig un o'r teithwyr a oedd yn dal yn fyw.

Chwythwm o wynt yn taflu'r papurau at Steffi . . . llosgwyr Bunsen yn cynnau ohonynt eu hunain . . . y neges ryfedd ar y bwrdd du. Nawr roedd popeth yn glir. Wel, mor glir ag y *gallen* nhw fod.

Doedd neb yn bwrw swynion yn Ysgol Harriet Llwyd. Na! Y '*bwganod, ellyllon a'r meirw aflonydd*' oedd yn sianelu eu pwerau goruwch-naturiol drwy 'sensitif' . . . drwy Non, y ferch ryfedd â'r llygaid llwydlas.

A'i chalon yn curo fel gordd, rhuthrodd Mel at y ffotogopïwr a'r enseiclopedia yn ei llaw. Crynai

39

ei dwylo wrth roi'r llyfr agored ar y peiriant a stryffaglio i roi'r darn arian yn y slot.

Byddai Steffi'n gwrthod credu os na welai hi'r prawf mewn du a gwyn . . . Nid gwrach oedd Non, ond negesydd ysbrydion!

7

34 Gerddi Lelog

Brysiodd Mel i'r Parlwr Pitsa. Roedd hi bum munud yn hwyr ac roedd Steffi mewn hwyliau drwg. 'Ble wyt ti wedi bod?' meddai'n swta.

'Yn ffotogopïo,' meddai Mel. Dim ots os oedd Steffi mewn tymer. Roedd gan Mel newyddion pwysig iddi.

'Wnest ti ddim gwastraffu dy amser 'te?' Plygodd Steffi dros y ford yn glustiau i gyd. 'Be sy gen ti i fi? Rysáit "Gwaed ystlum wedi'i ferwi"?'

'Na. Dyw hyn ddim yn jôc, Steffi. Gwell i ti adael llonydd i Non o hyn allan,' meddai Mel. 'Rhag ofn ei bod hi'n beryglus.'

'Be sy'n bod arnat ti?' snwffiodd Steffi. 'Dwi ddim yn credu o ddifri ei bod hi'n wrach. Tipyn o sbort oedd e. Ro'n i'n moyn i ti gasglu gwybodaeth er mwyn i ni berswadio'r lleill, 'na i gyd.'

Agorodd Mel y llungopi o hanes y 'sensitif' a'i roi ar y ford o flaen Steffi. 'Dwi ddim yn credu ei bod hi'n wrach chwaith,' meddai'n dawel. 'Dwi'n gwbod yn union beth yw hi.' Gwyliodd Mel Steffi'n darllen â llygaid barcud.

Grêt, mae hi'n credu hefyd, meddyliodd Mel, wrth i Steffi welwi. Daethai llygedyn o olau i lygaid ei ffrind, ac yna ofn. Roedd Steffi wedi darllen y disgrifiadau ac fel hithau wedi eu cysylltu â'r digwyddiadau rhyfedd yn y dosbarth.

Ond ar ôl gorffen darllen, taflodd Steffi'r llungopi i'r naill ochr. 'Wyt ti'n disgwyl i fi gredu'r dwli 'ma?' meddai'n herciog.

Yn lle codi ofn ar Steffi, fel y gobeithiai Mel, roedd yr erthygl wedi rhoi hwb iddi. Roedd Mel wedi rhoi'i throed ynddi.

Roedd y Parlwr Pitsa mewn ardal go dlodaidd o'r dref. Fel arfer byddai'r ddwy'n mynd adre ar y bws i'r stad fodern, hardd lle roedden nhw'n byw. Ond roedd y merched newydd golli bws 41, felly fe benderfynon nhw ddechrau cerdded.

'Edrycha ar enwau'r strydoedd,' meddai Mel. Roedd hi'n falch o'r esgus i anghofio am funud am Non Rhydderch a'i llygaid treiddgar a'i gallu rhyfedd. Darllenodd enwau'r strydoedd cefn wrth fynd heibio. 'Lôn Lafant, Clos y Lili— 'na enwau pert. Ond trueni eu bod nhw mewn cyflwr mor wael.' Edrychodd ar res o dai mawr, a fu unwaith yn grand, yn dadfeilio o'i blaen.

'Trueni, wir!' meddai Steffi. 'Eisie newid yr enwau sy. Beth am Lôn Sbwriel, Clos y Domen . . .' Wrth basio'r stryd nesa, stopiodd Steffi'n stond a chrychu'i thalcen. 'Gerddi Lelog—mae'r enw'n canu cloch,' meddai.

Cododd Mel ei hysgwyddau.

42

'A! Dwi'n cofio nawr. Fan hyn mae'r Bwgan yn byw. Stryd Non yw hon,' meddai Steffi. 'Dwi'n ei chofio hi'n dweud wrth un o'r dyfal-doncwyr ei bod hi wedi symud i Erddi Lelog. Rhif 34, dwi'n credu. 'Na dwll o le!'

'Mae e'n sbŵci,' mwmianodd Mel. 'Symuda hi glou. Mae'r bws nesa bron â dod.'

Ond pan ddeallodd Steffi fod Mel eisiau dianc, penderfynodd gymryd mantais. 'O na. Anaml y cei di gyfle i weld tŷ gwrach. Dere i ni fynd i wrando. Falle'i bod hi'n bwrw swynion.' Gyda chwerthiniad erchyll, fel cymeriad mewn ffilm arswyd, rhoddodd hwb i Mel i lawr y stryd tuag at Rif 34.

Gerddi Lelog oedd y stryd grandiaf yn Nhredalar ar un adeg. Roedd y tai yno'n fwy moethus na'r tai cyfagos hyd yn oed.

Safai Rhif 34 ychydig ar wahân. Tŷ Non oedd bellaf o'r hewl fawr a drws nesa i lwyn blêr o goed, lle roedd rhai o drigolion Gerddi Lelog yn taflu sbwriel. Wrth i'r merched nesáu at y tŷ roedd hi'n dechrau nosi a changhennau'r coed yn gwichian ac ochneidio'n y gwynt.

Safai dwy hen ywen gnotiog fel gwylwyr un bob ochr i'r gât, ac er iddyn nhw ysgwyd yn fygythiol dros Mel a Steffi, roedd y merched yn falch o'u cysgod.

'Dŷn ni ddim eisie i hen fodryb wallgo Non ein gwahodd hi i mewn am frechdan arsenig,' meddai

43

Steffi'n smala. Crynai ei llais er ei gwaetha. 'Hi ddysgodd dricie i Non, siŵr o fod.'

Roedd y tŷ'n enfawr gydag wynebau gargoil yn tynnu stumiau hyll o'r tyrau. Trawai caead ffenest yn erbyn haearn y balconi. Edrychai'r ffenestri plwm bwaog fel ffenestri eglwys a dringai canghennau crin rhyw blanhigyn cnotiog dros bobman, dros ffenestri, peipiau glaw a drysau.

'Wel, dwi wedi gweld digon,' meddai Mel. 'Dere i ni fynd adre. Mae'r lle 'ma'n hala fi'n sâl.' Ddwedodd hi 'run gair, ond roedd hi hefyd yn cofio am yr enseiclopedia, a'r hanes am y sensitif yn achosi damwain awyren. Doedd hi ddim eisiau dod wyneb yn wyneb â Non ar ei thir ei hun.

Ond wnâi Steffi ddim symud. Naill ai roedd hi eisiau pryfocio'i ffrind neu roedd yr hen le bwganllyd wedi tanio'i dychymyg.

'Na, arhosa,' meddai'n daer. 'Os gallwn ni fynd yn nes at y ffenestri, falle cawn ni brawf ei bod hi'n wrach—cath ddu neu rywbeth. Gallwn ni ddweud wrth y lleill wedyn.'

Ond doedd Mel ddim yn teimlo fel gwneud hwyl am ben Non. 'Dere,' meddai.

'Na wna i,' meddai Steffi'n bendant, ond wrth iddi agor yr hen gât rydlyd sylwodd Mel ar ei llaw yn crynu. Doedd Steffi ddim mor galed wedi'r cyfan.

Pan wichiodd y gât, gwingodd y ddwy a rhedeg yn dawel bach i gysgod y llwyni. Cripion nhw drwy'r prysgwydd, eu calonnau'n curo'n wyllt a'u hanadl yn dynn. Cyn hir fe gyrhaeddon nhw fwlch yn y llwyni a gweld ffenestri Ffrengig ar ochr y tŷ.

'Dere! Mae'n dawel! 'Mlaen â ni!' sibrydodd Steffi. Petrusodd Mel. Roedd tair metr o dir agored rhwng y llwyni a'r tŷ. Gallai unrhyw un edrych drwy'r ffenestri a'u gweld nhw . . .

Doedd dim yn symud. Sythodd Mel ei hysgwyddau.

Roedd y ddwy ar fin rhuthro o'r llwyni, pan hoeliwyd nhw i'r fan a'r lle gan symudiad sydyn yn ffenest y llofft. Agorwyd y llenni. Gwelodd y merched sgwâr o olau melyn . . . a silwét du Non ei hun.

Er mor bell oedden nhw, ac er ei bod hi a Steffi yng nghysgod y llwyni, rywsut gwyddai Mel fod Non wedi'u gweld. Teimlai'r llygaid treiddgar yn syllu arni gyda'r un olwg gyhuddgar ag a oedd wedi ei dychryn ar y diwrnod cyntaf yn y ffreutur.

Rhedodd Mel, gyda Steffi'n dynn wrth ei sodlau.

8

Y ferch yn y llun

'Ych-i! Gwrach-i!' hisiodd Steffi pan gerddodd Non i mewn i'r Stafell Gelf drannoeth. Chwardd-odd rhai o'r dosbarth yn ddistaw bach, ond troi trwyn arni wnaeth y lleill. Roedd hi'n colli ei gafael.

Ei hanwybyddu wnaeth Non. Cerddodd rhwng y desgiau a'r estyll at yr unig gadair wag yng nghefn y dosbarth, rhwng Mel a Clare.

Heddiw, roedd Mr Sanderson, yr athro celf, wedi cael chwilen yn ei ben. 'Nawr te 8C,' meddai'n nerfus, gan roi tro yn ei fwstás llipa. 'Mae gen i syniad newydd sbon. Dwi am ichi dynnu llun mewn pensil neu baent o unrhyw beth dan haul sy'n dweud rhywbeth amdanoch chi fel person . . .'

Ochneidiodd sawl un, ond chymerodd Mr Sanderson ddim sylw.

'Rhywbeth sy'n bwysig i chi. Gallwch chi wneud llun "abstract" sy'n llawn o deimlad cryf —llun sercol ar bapur garw falle,' meddai wedyn. 'Neu beth am ddyfrlliw o berson, neu le neu ryw eitem sy ag arwyddocâd arbennig i chi yr arlunydd? Deall?'

'Ydyn, Mr Sanderson,' meddai pawb yn ddiflas.

'Da iawn,' meddai'r athro. 'Pan fydda i'n edrych ar y lluniau, rwy am i'r teimladau fy nharo i . . . Rwy am ddod i'ch 'nabod chi drwy astudio'ch gwaith. Iawn? Ffwrdd â chi.'

Suddodd calon Mel. Yr unig beth pwysig iddi ar hyn o bryd oedd clywed y gloch yn canu ar ddiwedd y wers, ond allai hi ddim tynnu'r llun hwnnw.

Roedd rhai o'r dosbarth wedi cychwyn yn barod. Roedd Tony'n gwneud llun gofalus iawn o fathodyn ei hoff dîm pêl-droed. Roedd Clare wedi tynnu trôl bach â gwallt pinc o'i chas pensiliau ac yn gwneud ei gorau glas i ddarlunio'r wên gam ar ei wyneb. Roedd Steffi wrth gwrs yn syllu i ddrych bach ac yn ceisio tynnu llun ohoni hi ei hunan.

Syllodd Mel i'r awyr a chrafu'i phen am syniadau. Sylwodd ar Non yn pwyso dros ei hastell ac yn gweithio'n ddiwyd. Roedd ei phen ar dro fel petai hi'n gwrando ar lais y tu mewn iddi. Gwibiai'r sercol ac yna'r brws paent yn ei llaw yn hyderus dros y papur. Ar yr un pryd roedd ei chorff—a'i gwallt coch—yn crynu gan ymdrech ddwys.

Os oedd Non yn gweithio mor galed, rhaid ei bod hi dan deimlad cryf, meddyliodd Non, er na allai hi weld y llun o gwbl. Oedd Non wedi'u gweld nhw o'r ffenest y noson gynt? Neu a oedd

Mel wedi'i thwyllo ei hun? Yng ngolau dydd allai hi ddim bod yn siŵr . . .

Wrth i'r wers fynd yn ei blaen, dechreuodd Mr Sanderson ddod o gwmpas i roi cyngor. Aeth Mel ati i sgriblan yn wyllt er mwyn cael rhywbeth ar bapur cyn iddo ddod ati.

'Ai hunan-bortread yw hwnna, Steffi?' gofynnodd Mr Sanderson wrth nesáu at y rhes gefn.

'Neu boster o Cing-cong?' sibrydodd rhywun yn uchel.

Pwdodd Steffi. 'Alla i ddim help, Mr Sanderson. Mae'r drych yn rhy fach.'

'Oes 'na unrhyw ddrych sy'n ddigon mawr i dy ben di, Steffi?' gofynnodd Matt gan biffian chwerthin.

Chwarddodd y dosbarth i gyd dros y lle. Steffi oedd y cocyn hitio am unwaith. Dyna beth od. Fyddai Mel 'rioed wedi credu'r fath beth rai wythnosau'n ôl.

Roedd Mr Sanderson wedi cyrraedd at Non. Safodd yn dawel y tu ôl iddi am eiliad neu ddwy.

'Ffantastig!' meddai. 'Heddiw wnest ti hwn?' Nodiodd Non. 'Wel, mae gen ti ddawn tynnu lluniau pobl. Ga i ddangos e i'r lleill?'

'Na,' sibrydodd Non. Doedd hi ddim fel petai'n sylwi ar weddill y dosbarth. Roedd ei meddwl hi'n bell, mewn byd arall.

'Pwy yw'r ferch yn y llun?' gofynnodd yr athro. 'Dy chwaer? Neu ffrind?'

'Martha,' sibrydodd Non yn floesg. 'Ei henw . . .
ei henw yw Martha.'

Wrth i Mr Sanderson ddal y llun o flaen
wynebau syn 8C, safodd Steffi y tu ôl iddo.
Gwthiodd ei bys i'w cheg ac esgus cyfogi.
Chwarddodd neb.

Tra oedd Mel yn tynnu braslun o'i hesgid ac yn
rhwbio'i hanner e allan, roedd Non wedi amlin-
ellu, a pheintio, llun rhyfeddol dros ben. Llun
merch eiddil yr olwg—yn ôl Non, ei henw oedd
Martha—mewn dillad henffasiwn, yn sefyll ar
rostir gwyntog liw nos.

Roedd Mr Sanderson yn ei ganmol i'r cymylau.
'Sylwch mor bathetig yw llaw Martha, yn gafael
mor dynn yn y siôl am ei hysgwyddau—mae'n
gwneud i chi deimlo trueni drosti, on'd yw hi?'

'Sylwch ar y golau leuad yn pwysleisio llwydni
ei hwyneb, fel petai'n ysbryd, mor denau a
niwlog. A'i llygaid . . . O, taswn i'n gallu darlunio
teimlad cystal â Non, fyddai dim rhaid i fi
ddysgu celf, wir i chi!'

Fel arfer byddai'r dosbarth i gyd yn taflu i fyny
ar ôl clywed y fath ganmoliaeth a'r disgybl druan
bron marw o gywilydd. Ond roedd pawb, hyd yn
oed Steffi, wedi'u mesmereiddio gan y llun.

Wrth edrych arno teimlai pawb yn anesmwyth.
Roedd y cefndir mor real, gallai pawb deimlo'r
gwynt yn eu chwythu, meddyliodd Mel. Ac eto
roedd golwg bell ar y ferch yn y llun.

Rywsut, yn llun Non, edrychai Martha fel

rhith—rhith fyddai'n diflannu petaech chi'n cau'ch llygaid am eiliad. Ond roedd yr olwg druenus ar ei hwyneb mor real a diffuant fel na fynnai neb edrych draw.

Pan ganodd y gloch ar ddiwedd y wers, dechreuodd Steffi helpu Mr Sanderson i dacluso'r offer. Gwyddai Mel ar unwaith fod rhywbeth ar droed.

'Da iawn, Steffi,' meddai Mr Sanderson yn ddiolchgar a braidd yn syn. 'Wnei di roi'r ffolder lluniau yn ofalus yn y storfa, os gweli di'n dda? Fe fydda i'n arddangos y gwaith nos fory yn y Noson Rieni. Rwy'n haeddu paned yn y Stafell Athrawon nawr. Cofia gloi'r drws.'

'Iawn, Mr Sanderson,' meddai Steffi'n ddiniwed.

Sylwodd Mel ar Steffi'n chwerthin yn ddistaw bach. Nid hwn fyddai'r tro olaf iddi glywed am ddarlun Non.

9

Gwahoddiad

Roedd Mel yn llygad ei lle. Drannoeth, pan oedd Mrs Jones yn llanw'r gofrestr, brasgamodd Mr Sanderson i mewn i'r stafell yn wyllt gandryll.

Agorodd y rholyn papur o dan ei fraich a'i ddal o flaen y dosbarth heb ddweud gair. Syllodd pawb mewn braw.

Roedd darlun grymus Non o Martha ar y rhos— seren arddangosfa gelf y Noson Rieni—wedi'i ddifetha'n llwyr. Roedd rhywun wedi sgriblan barf, mwstás a sbectol ar wyneb Martha mewn pìn-ffelt du.

Ciledrychodd Mel yn ofidus ar Non a oedd mor wyn â lliain. Ond doedd hi ddim yn flin. Na, roedd hi'n edrych yn drist ac yn ofnus braidd, meddyliodd Mel.

Roedd Mr Sanderson yn drwgdybio Steffi o'r cychwyn cyntaf. 'Wyt ti'n siŵr nad ti wnaeth?' meddai'n chwyrn, gan hoelio'i lygaid arni. 'Ti oedd yr olaf i adael y Stafell Gelf ddoe— yr unig un gafodd gyfle.'

'Nid fi wnaeth, Mr Sanderson,' meddai Steffi. Agorodd ei llygaid led y pen a golwg ddidwyll iawn ar ei hwyneb. 'Rhaid bod rhywun wedi cripian i mewn ar ôl i fi orffen tacluso. Mae'n flin gen i os anghofies i gloi'r drws.'

'Oes unrhyw un arall yn fodlon cyfaddef?' rhuodd Mr Sanderson. 'Doedd y dosbarthiadau eraill yn gwybod dim am lun Non, felly rhaid mai un ohonoch chi wnaeth.' Ddwedodd neb air. 'Iawn,' meddai drwy'i ddannedd. 'Fe gaiff pawb heblaw Non aros i mewn ar ôl yr ysgol.'

Dechreuodd ffrindiau Steffi gwyno'n ddistaw bach.

'Mae hi wedi mynd yn rhy bell y tro 'ma,' sibrydodd Clare wrth Jason.

Fyddai giang Steffi 'rioed wedi meiddio dweud y fath beth rai wythnosau'n ôl. Yn ddistaw bach roedd Mel yn cytuno â nhw.

Ar ôl i Mr Sanderson sôn wrth bawb am y difrod roedd Steffi ar bigau'r drain. Roedd hi wedi mynd ati fel gafr ar daranau i ddifetha llun Non a nawr roedd yn flin ganddi. Bob tro roedd drws yn cau'n glep neu rywbeth yn disgyn i'r llawr, roedd Steffi'n dychryn ac yn taflu cipolwg nerfus ar Non.

Mae'n disgwyl i Non ddial arni mewn rhyw ffordd od, meddyliodd Mel. Mae hi'n gwybod cystal â fi bod Non yn beryglus. Yr holl bethau rhyfedd 'na—y papurau'n hedfan, y llosgwyr Bunsen a'r llythrennau ar y bwrdd du—fe ddigwydd-on nhw i gyd ar ôl i Steffi bryfocio Non.

All Steffi ddim help, meddyliodd Non. Mae'n *rhaid* iddi brofi mai hi yw'r bòs.

Ond ddigwyddodd dim byd i Steffi wedi'r cyfan. Roedd Non yn gwrtais wrthi ac yn serchog wrth bawb arall oedd yn serchog wrthi hi.

Roedd hyd yn oed Matt wedi dechrau siarad â Non eto, a doedd dim ots ganddo beth ddwedai Steffi.

Ar ddydd Mercher daeth Non i'r iard a dechrau rhannu darnau o bapur. 'Be mae hi'n wneud nawr?' meddai Mel.

'Mae hi wedi pasio arholiad Ffrangeg i swots, siŵr o fod, ac yn rhoi copi o'i thystysgrif i bawb.' Chwarddodd Steffi'n slei bach. 'Neu falle'i bod hi wedi peintio campwaith neu ddau.'

Cyn hir fe gafodd Mel yr ateb i'w chwestiwn. Trueni na allai hi fod wedi tynnu llun o wyneb Steffi pan ddaeth Non ati a rhoi darn o bapur melyn yn ei llaw. Arno, wedi'u teipio'n ofalus ar gyfrifiadur, roedd y geiriau:

DEWCH I DDATHLU 'MHEN BLWYDD I
gyda phitsa a fideo
ddydd Sadwrn nesaf
yn 34 Gerddi Lelog
Tredalar

7—10 o'r gloch
(Atebwch os gwelwch yn dda)

'Gobeithio y gallwch chi'ch dwy ddod,' meddai Non yn serchog. 'Mae'r lleill yn dod.' Arhosodd Mel a'i gwynt yn ei dwrn i weld beth ddwedai Steffi.

Am foment roedd Steffi'n rhy syn i ddweud gair. Yna taflodd gipolwg ar Mel ac meddai'n goeglyd, 'Be? Colli parti pwysica'r ganrif? Wrth gwrs ein bod ni'n dod!'

Ond a dweud y gwir doedd Steffi ddim yn siŵr beth i'w wneud. Mynd i barti Non? Doedd hi ddim eisiau colli wyneb. Ond roedd rhaid iddi feddwl am ei giang.

Doedd Steffi ddim yn hapus iawn ynglŷn â'r sefyllfa. Roedd Clare, Jason a Matt yn trafod y parti o flaen pawb. A doedd dim un ohonyn nhw wedi gofyn a oedd hi'n mynd. Wel, fe fyddai Steffi'n mynd i'r parti yn 34 Gerddi Lelog a hi fyddai'n rhedeg y sioe.

Pan oedd y ddwy'n ffarwelio brynhawn Gwener, gwenodd Steffi ar Mel. 'Wela i di ym mharti Non nos fory,' meddai. 'Fe gaiff hi barti i'w gofio.'

10

Parti parti!

Pan gyrhaeddodd Mel a Steffi Rif 34 Gerddi Lelog roedd yr awyrgylch yn hollol wahanol. Doedd y tŷ ddim yn dawel ac iasoer fel yr wythnos gynt.

Ar draws y feranda hongiai goleuadau bach a baner a'r geiriau 'PEN BLWYDD HAPUS NON' wedi eu peintio arni â llaw. Suai miwsig drwy'r ffenest agored i gyfeiliant mân siarad a chwerthin iach.

'Hai! Dewch mewn.' Agorodd Non y drws ffrynt yn wên i gyd. 'Dwi ar ganol agor fy anrhegion. Wedyn fe wnawn ni anfon am bitsas.'

'Ches i ddim amser i brynu dim i ti, Non. Mae'n ddrwg gen i,' meddai Mel yn lletchwith. Er syndod iddi, tynnodd Steffi becyn bach del, wedi'i lapio'n ofalus, o'i phoced.

'Pen blwydd hapus, Non,' meddai gyda gwên goeglyd. Gafaelodd Non yn ofalus yn y pecyn, rhag ofn iddo ffrwydro, ond atebodd yn gwrtais.

'Diolch yn fawr, Steffi. Doedd dim rhaid i ti . . .'

'O, Non. Wrth gwrs bod rhaid i fi gael presant i ti o bawb,' meddai Steffi yn fêl i gyd, fel petai hi a Non yn hen ffrindiau.

Syllodd Mel yn ofidus ar Non yn tynnu'r papur lapio hardd. Rhaid mai tric oedd e, ond ar yr olwg gyntaf edrychai anrheg Steffi yn ddigon diniwed. Roedd wedi'i lapio mewn seloffen ac wedi'i styffylu ar gerdyn lliwgar. Ond pan drodd Non yr anrheg wyneb i waered a darllen y sgrifen ar y pecyn, diflannodd y wên ar ei hwyneb. 'Dafadennau gwrach' oedd y geiriau arno.

Ac yn wir, o dan y seloffen roedd hanner dwsin o blorynnau plastig ych-a-fi, plorynnau i'w llyfu a'u sticio ar eich wyneb.

'Dafadennau ffug i wrach ffug!' hisiodd Steffi. 'Gobeithio dy fod ti'n hoffi nhw!' a brasgamodd i'r parlwr i sarnu hwyl pawb arall.

'Paid â chymryd dim sylw,' meddai Mel yn nerfus gan roi llaw garedig ar ysgwydd Non. 'Fel 'na mae Steffi.'

Roedd gwên od ar wyneb Non. 'Paid â phoeni,' meddai gan syllu ar y dafadennau ffug. 'Maen nhw'n . . . *addas* iawn, ac ystyried beth yw gwaith Anti Gwenhwyfar.' Trodd yn sydyn a cherdded i ffwrdd ar hyd y cyntedd.

Beth oedd hi'n feddwl, meddyliodd Mel. Yn ddiweddar roedd un cipolwg ar lygaid llwydlas Non yn ddigon i wneud i'w dychymyg fynd yn rhemp.

Tra oedd hi wrthi ei hun, edrychodd Mel o'i chwmpas ar y cyntedd. Am stafell ffantastig, 'run fath â set ffilmiau. Roedd 'na ben carw uwchben y drws ffrynt a grisiau cain, gyda chanllaw cerfiedig, yn codi mewn hanner-cylch tuag at arfwisg ar yr hanner-landin. Ar bob wal hongiai lluniau olew tywyll mewn fframiau euraid trwm.

Daeth Non yn ôl. Os oedd tric Steffi wedi'i diflasu, doedd hi'n dangos dim.

'Dere i ni fynd at y lleill,' meddai Non ac aeth y ddwy i'r parlwr.

Roedd Steffi wedi taflu dŵr oer ar y parti'n barod. Cyn pen chwinc roedd hi wedi gwneud hwyl am ben casgliad Non o dâpiau, wedi cymharu'r dodrefn yn y parlwr â siop hen bethau a nawr roedd hi'n darllen y rhestr bitsa yn uchel ac yn trio bod yn ddoniol:

'Gwrandewch ar hwn. "*Y Ceffyl Gwyllt*. Trwch o gig eidion wedi'i falu, poeth a sbeislyd gyda thipyn o gic." Un i ti, Jason.' Gwenodd Jason yn wanllyd. 'A dyma un i Non. "*Pizza Quattro Formaggi*—cymysgedd arbennig o bedwar caws blasus o'r Eidal. Un i'r arbenigwr." Ydy hwnna'n ddigon crachaidd iddi?'

Pan welodd Steffi'r ddwy ferch yn cerdded i mewn, daeth golwg biwis i'w hwyneb. 'Mae gen ti ddewis anodd, Mel,' meddai. 'Dwyt ti ddim hyd yn oed yn *hoffi* pitsa, wyt ti?'

'Paid â phoeni,' meddai Mel gan edrych yn filain ar Steffi. Doedd hi ddim am sarnu pen blwydd Non. 'Do'n i ddim yn *arfer* hoffi pitsa.'

'O, popeth yn iawn 'te,' meddai Non. Cododd dderbynnydd ffôn hynod o henffasiwn. 'Barod i archebu?'

Steffi'n rhoi help llaw

'Bydd y pitsas yma ymhen hanner awr.' Rhoddodd Non y ffôn i lawr. 'Oes rhywun yn barod am ddiod?'

'Fi,' meddai Steffi gan droi trwyn ar y caniau diod pop yn nwylo ei ffrindiau. 'Dyna i gyd sy gen ti?'

'Ddrwg gen i, Steffi,' meddai Non heb gynhyrfu dim. 'Y cyfan sy gen i yw cola, sudd oren, lemonêd neu ddiod sinsir.'

'Wyt ti'n siŵr? Oes gen ti ddim diod gwrach yn rhywle?' snwffiodd Steffi. 'Ble wyt ti'n cuddio dy grochan 'te?'

Dechreuodd hi 'chwilio' bob twll a chornel o'r stafell. Roedd hi'n amlwg i bawb mai esgus i fusnesa oedd y cyfan. Teimlai pawb yn lletchwith ac anesmwyth wrth wylio Steffi.

Twriodd drwy gypyrddau ac aildrefnu'r addurniadau. Sbeciodd y tu ôl i'r cadeiriau ac yn y bocs glo hyd yn oed.

Yna fe gododd Steffi glawr hen ddesg a gafael yn rhywbeth. Neidiodd mewn arswyd.

Roedd hi wedi gafael mewn llaw lipa wen . . .

llaw *wedi torri*. Hongiai gwythiennau o'r arddwrn gyda dafnau o waed yn disgleirio'n ffiaidd arnynt. Syllodd y lleill arni'n syfrdan.

Yna sgrechiodd Clare.

Gwylltiodd Steffi a thaflu'r peth erchyll ymhell oddi wrthi. A'u llygaid bron â neidio o'u pennau, gwyliodd y lleill y llaw'n hedfan drwy'r awyr ac yn glanio ar Matt . . .

. . . Ond pan sylwodd y giang ar geg Non yn crynu, mentrodd Matt edrych yn fwy gofalus ar y peth ar ei lin.

'Steffi, paid â phoeni. Llaw ffug yw hi,' meddai Matt yn llon. 'Ces inne ofn am funud.'

Gollyngodd pawb ochenaid o ryddhad. Estynnodd Jason y llaw ffug i Clare. Byseddodd Clare y llaw yn ofalus a chytunodd ei bod hi'n debyg iawn o ran lliw a llun i gnawd dynol.

'Hei, Steffi! Dyma hi'n ôl i ti!' meddai Jason. Estynnodd y llaw ffug ac esgus ysgwyd llaw â Steffi.

Ond roedd Steffi wedi suddo i gadair ac yn dal ei llaw ei hun dros ei cheg. Ysgydwodd ei phen yn ffyrnig. Roedd ei hwyneb yn llwyd-wyrdd.

'On'd yw hi'n edrych yn real?' meddai Non. 'Anti Gwenhwyfar wnaeth y llaw ar gyfer ffilm arswyd o'r enw "Dialedd y Llaw Waedlyd". Dwi'n ei defnyddio hi fel pwysau papur.'

Gwenodd Mel. Roedd hi'n cofio beth ddwedodd Non am y dafadennau ffug. 'Maen nhw'n addas iawn, ac ystyried beth yw gwaith Anti Gwen-hwyfar.'

Mae'n debyg fod Anti Gwenhwyfar yn arfer gweithio i gwmni ffilmiau arswyd. Hi oedd yng ngofal y props. Pan fethodd y cwmni, fe brynodd hi rai o'i hoff bethau am bris isel.

Roedd popeth yn glir nawr, meddyliodd Mel. Doedd dim rhyfedd fod awyrgylch y tŷ mor hynod. Roedd e'n hanner real a hanner ffug. Roedd hi wedi meddwl fod y pen carw a'r arfwisg yn y cyntedd braidd yn ormodol. Ond nawr roedd Non yn egluro mai props o'r ffilm 'Y Llofrudd Lloerig' oedden nhw.

'Hei, Non,' meddai Matt, a oedd wedi dod dros ei sioc erbyn hyn. 'Ydy'r stafelloedd i gyd fel hyn? Gawn ni sbec?'

'Wrth gwrs,' meddai Non. 'Wyt ti'n dod, Steffi?' Ysgydwodd Steffi ei phen. Roedd hi wedi cael siom. Teimlai fel cicio'i hun am gael ei thwyllo gan hen law ffug.

Dyw Non ddim yn 'sensitif', meddyliodd Steffi. Triciau oedd y cyfan—y papurau'n hedfan, y llosgwyr Bunsen a'r sgrifen swyn, triciau gan Non a'i modryb hanner call.

Wrth i sŵn traed ei ffrindiau a chyffro ei lleisiau ddistewi, eisteddodd Steffi am foment neu ddwy a syllu'n sur o'i chwmpas ar y pailwi enfawr. Tybed pa rai oedd y dodrefn go iawn a pha rai oedd yn perthyn i'r stiwdio ffilmiau?

Beth am y candelabrwm cerfiedig oedd yn

hongian o'r nenfwd gyda'r gargoiliau bach, ystlumod a diferion cwyr cannwyll drosto i gyd? Roedd hwnna wedi dod o set ffilm go bathetig yn ôl ei olwg e.

Serch hynny roedd rhaid i Steffi gyfaddef fod y stafell yn llawn awyrgylch . . . Yn sydyn agorodd y ffenestri Ffrengig y tu ôl iddi gyda thwrw mawr a chwythwyd y llenni mwslin ar draws y stafell. Teimlodd Steffi ias oer ar ei chefn.

Cododd a throi'n sydyn, ond doedd neb yno. Oedd clicied y ffenest wedi torri a'r gwynt wedi ei chwythu? Neu rywbeth gwaeth? Arhosodd Steffi ddim eiliad yn hwy.

'Arhoswch amdana i!' gwaeddodd, gan ruthro o'r stafell a llamu i fyny'r grisiau. Gwibiodd heibio'r hanner-landin a rhuthro ar ei phen i ganol y lleill.

'Wedi newid dy feddwl, Steffi?' gofynnodd Jason yn wên o glust i glust. 'Neu oeddet ti'n teimlo'n unig?'

'Meindia dy fusnes. Dwi'n chwilio am y tŷ bach,' meddai Steffi gan raffu celwyddau er bod ei chalon yn curo fel gordd a'i gwynt yn ei dwrn.

Roedd Steffi'n colli ei gafael. Doedd neb yn ei hofni hi nawr. Heno byddai'n rhaid iddi roi Non yn ei lle unwaith ac am byth.

12

Cyfrinachau

'Ble mae dy Anti Gwenhwyfar di nawr 'te, Non?' gofynnodd Clare. Roedden nhw'n chwilota grisiau troellog a choridorau dyrys yr hen dŷ.

'O, fe aeth hi allan gyda Mam a Dad i weld ffrindie. Fyddan nhw ddim 'nôl am oesoedd,' atebodd Non.

Roedd stafell wely Non yn ddigon o ryfeddod, meddyliodd Mel, ond go brin y cysgai hi winc ynddi. Roedd y stafell braidd yn rhy erchyll.

Roedd grisiau tro'n arwain at y stafell chwe-ochrog. Edrychai'r ffenestri plwm bwaog fel ffenestri mewn stori dylwyth teg ac roedd pawb wrth eu bodd gyda'r gwely haearn bwrw a'r canopi drosto.

Syllai casgliad o anifeiliaid ac adar stwffiedig o'u casys gwydr â llygaid bach treiddgar.

'Dŷn nhw ddim yn hala ofn arnat ti?' gofynnodd Matt i Non, wrth i dylluan frech syllu'n oeraidd i fyw ei lygaid.

'Na. Rŷn ni'n ffrindie,' atebodd Non.

'Pathetig!' sibrydodd Steffi wrth Mel. Yn eu hymyl roedd bwrdd gwisgo a chrac yn y drych.

'Rwyt ti wedi edrych gormod ar hwn, Non,' meddai.

Ym mhob stafell roedd gorchuddion melfed llychlyd a thaseli aur di-raen yn ychwanegu at y naws rhyfeddol a hongiai lluniau olew tywyll o hen gyndeidiau Non rownd bob cornel. Roedd Mel yn siŵr iddi weld llygaid un ohonyn nhw'n ei dilyn. Aeth cryndod drwyddi.

Mewn un gornel roedd gilotîn filain yr olwg â llafn o wydr ffeibr arni. Mewn cornel arall eisteddai dol tafleisiwr yn wên i gyd ar gadair siglo. Roedd y ddol mor fawr â nhw.

'Gotel o gop,' meddai Tony gan ysgwyd llaw bren y ddol. Neidiodd 'nôl mewn braw.

'Mae hi'n fyw!' gwaeddodd, ac yna, wrth i'r giang ruthro am y drws, 'Tric oedd e!'

Roedd pawb yn piffian chwerthin ac yn mwynhau cael eu dychryn. I ffwrdd â nhw ar hyd coridor arall.

Tony oedd yr olaf yn y ciw, ac wrth i'r lleill fynd i edrych ar stafell wely sbâr, sylwodd am y tro cyntaf ar goridor cul. Ym mhen draw'r coridor, ar ei ben ei hun, roedd drws bychan. Cripiodd Tony tuag ato.

Go brin fod neb wedi cerdded ar hyd y coridor ers tro byd. Crynai gwe corryn uwch ei ben a bob hyn a hyn gwichiai estyll y llawr.

Edrychodd dros ei ysgwydd yn nerfus. Ai edrych am un o'r lleill oedd e, neu am ryw gymeriad arswydus yn cripian y tu ôl iddo?

O'r diwedd cyrhaeddodd Tony'r drws a'i galon yn morthwylio. Roedd ei ddwylo'n llaith a daliodd ei anadl wrth droi'r bwlyn i'r chwith ac i'r dde.

Roedd e'n ddigon balch pan wrthododd y drws agor. Trodd ar ei sawdl a dechrau cerdded 'nôl, yn fân ac yn fuan, ar hyd y coridor. Ond cyn iddo gyrraedd hanner ffordd, clywodd o'r tu ôl iddo golynnau drws rhydlyd yn gwichian. Doedd y drws clo ddim ynghlo nawr . . .

Edrychodd Tony dros ei ysgwydd a gwelodd ffigur tywyll yn dod drwy'r drws. Allai e ddim gweld yn dda drwy'r golau niwlog. Serch hynny sylweddolodd ar unwaith nad oedd hwn yn ffigur . . . *dynol*. Yna daeth sŵn rymblan. Beth bynnag oedd e, roedd e'n dod tuag ato ac yn cyflymu.

Dechreuodd Tony redeg, ond roedd y peth yn dal i fyny. Clywodd glec yr olwynion yn taro'r llawr anwastad a thaflodd gipolwg gwyllt arall dros ei ysgwydd.

Bu ond y dim iddo dagu. Roedd pram hen-ffasiwn yn taranu tuag ato . . . ond nid *babi* oedd ynddo. Yn y pram eisteddai oedolyn mewn cap ffriliog a siôl—sgerbwd oedolyn a chrechwen y marw ar ei wyneb esgyrnog.

13

Y sgerbwd yn y cwpwrdd

Agorodd Tony ei geg i sgrechian, ond ddaeth dim sŵn allan. Llwyddodd i wichian 'He-e-e-el-p!' cyn taflu ei hun i gilfach yn y wal.

Cuddiodd ei lygaid, ond teimlodd fysedd esgyrnog y sgerbwd yn cribo'i wallt wrth i'r pram wibio heibio.

Clywodd 'GLEC' enfawr ac yna, ymhen ychydig eiliadau, sŵn cloncian arswydus. Sbeciodd Tony rhwng ei fysedd. Roedd y pram yn gorwedd ar ei ochr ar y landin. Doedd dim sôn am y teithiwr anffodus.

Rhuthrodd ei ffrindiau'n ôl o'r stafell wely i weld beth oedd wedi digwydd.

'Tony, wyt ti'n iawn?'

'Be ddigwyddodd, Tony?'

'Tony, siarada â fi!'

Gorweddai Tony ar y llawr, yn pwyntio at y pram ac yn mwmian yn wyllt.

Gwelodd Non y drws agored ym mhen draw'r coridor a'r pram gwag ar y landin. Edrychodd dros ganllaw'r staer a dal ei hanadl. Ymhell islaw, dros lawr teils y cyntedd, gorweddai pentwr o esgyrn, siôl a chap ffriliog. Deallodd ar unwaith a dechrau chwerthin.

Dyma'r tro cyntaf i Mel glywed Non yn chwerthin. Ond, erbyn meddwl, dyma'r tro cyntaf iddi weld Non y tu allan i'r ysgol, a doedd hi'n cael fawr o gyfle i chwerthin yn Ysgol Harriet Llwyd.

Roedd e'n chwerthiniad bach rhyfedd, braidd yn nerfus, a swniai'n od i Non ei hun.

'O, Tony. Druan â ti,' meddai. 'Esmerelda oedd honna.'

'D . . . Daeth hi ata i . . . O'r stafell 'na . . . Roedd hi'n . . . dd . . . ddychrynllyd,' crawciodd Tony.

Pan sylweddolodd Non gymaint oedd Tony wedi dychryn, fe sobrodd. 'Paid â phoeni, Tony. Mae popeth yn iawn. Wir,' meddai. Eglurodd ar frys mai stordy Anti Gwenhwyfar oedd y stafell fach. Yno roedd Anti Gwenhwyfar yn cadw'r holl offer oedd ganddi dros ben.

'Roedden ni'n arfer cadw Esmerelda ar y feranda, ond roedd y bachgen papur newydd yn pallu dod yn agos i'r tŷ, felly fe ddododd Anti Gwenhwyfar hi yn y stordy allan o'r ffordd.'

'O . . . ond, os mai prop yw hi, sut daeth hi allan? Dwi'n siŵr fod y drws ynghlo,' meddai Tony gan ddal i grynu.

'Dyw'r ddrws ddim yn cloi, ond weithie mae e'n sticio. Fe wnest ti'i ryddhau e wrth droi'r bwlyn, siŵr o fod,' eglurodd Non. 'Wedyn, pan gerddest ti i ffwrdd, neidiodd y drws ar agor.'

'Mae'r estyll yn mynd ar i lawr tuag at ben draw'r coridor,' sylwodd Jason. 'Unwaith y dechreuodd y pram symud, fe gododd e sbîd.'

Gwenodd Tony'n wanllyd. 'Diolch am yr eglurhad, syr.'

Chwarddodd pawb a mynd yn eu blaenau i lawr y grisiau cefn. Aethon nhw heibio'r unig stafell yn y tŷ, heblaw'r gegin, nad oedd neb wedi ei gweld. Ond mynnodd Non arwain pawb heibio ar frys.

'Hei, beth am y stafell 'ma, Non?' meddai Matt. 'Ydyn ni'n cael mynd i mewn?'

Safodd Non yn stond. 'Na,' meddai'n bendant. 'Does neb yn cael mynd i mewn.' Cododd ei llais. 'Neb. Na finne chwaith. Deall?'

Disgynnodd tawelwch anesmwyth.

'Honna yw stafell y Bwystfil Coes Glec sy'n bwyta 8Ec,' meddai Jason i godi calon y lleill.

Chwarddodd rhai o'i ffrindiau, ond nid Mel. Roedd hi'n gwylio Non. Beth bynnag oedd yn y stafell, doedd e ddim yn destun sbort i Non.

Eiliad yn ddiweddarach canodd cloch y drws. Anghofiodd pawb am y stafell gyfrin wrth ruthro i lawr i'r cyntedd a gweiddi: 'Pitsa! Ieeeeee!'

Anghofiodd pawb ond Steffi. Roedd hi'n sefyll yn dawel yn y cysgodion. Oedodd am foment y tu allan i'r drws derw trwm gyda'r plac bach hirgrwn ac arno un gair:

MEITHRINFA

Wrth i Steffi sefyll yno, ar drothwy'r drws dirgel, teimlodd ei dwylo'n chwysu. Roedd ei chalon yn curo ar ras a'i nerfau ar dân. Châi Non ddim dweud wrthi hi beth i wneud. Allai Non ddim ei stopio rhag mynd i mewn i'r stafell. Roedd Steffi'n benderfynol. Cyn diwedd y noson, roedd hi'n mynd i ddatrys dirgelwch y stafell ddirgel.

Golau allan!

Jason oedd y cyntaf i gyrraedd y drws ffrynt. Agorodd y drws led y pen. 'Ddrwg gen i 'mod i mor hwyr,' meddai pentwr o focsys pitsa ar goesau.

'Y?' meddai Jason a syllodd ar y pentwr yn syn.

'Mae'r tywydd wedi gwaethygu a dwi ar ei hôl hi,' meddai'r dyn pitsas, gan sbecian heibio i'r pentwr a gwên fach gam ar ei wyneb. Camodd Jason allan a syllodd ar y cymylau duon yn yr awyr.

'Mmm. Mae hi'n debyg i storm,' meddai Jason wrth Non oedd yn talu am y pitsas.

''Sdim ots. Mae'n sych a chynnes yn y tŷ,' meddai Non a'i llygaid yn disgleirio o dan olau'r lleuad. Yn ôl â hi i'r parlwr i rannu'r bwyd ac i agor rhagor o ganiau diod.

Doedd neb yn cofio pwy oedd wedi archebu pa bitsa, ond ar ôl tipyn o ddadlau cyfeillgar, aeth pawb ati i fwyta'n awchus.

'Nawr dewch i ni wylio fideo arswyd,' meddai Non gan wasgu botwm y peiriant.

'Be sy gen ti i ni, Non? Ffilm o'r teulu?' meddai Jason gan wincio. 'Alla i ddim meddwl am unlle mwy arswydus na'r tŷ 'ma.'

'Na, ddim yn hollol,' chwarddodd Non.

Rholiodd Steffi ei llygaid. 'Ffilm Ffrangeg yw hi?' gofynnodd yn wawdlyd. 'Dwi'n siŵr mai ffilmie Ffrangeg yw dy hoff ffilmie di.'

'Shhh!'

'Ca' dy geg, Steffi, neu fe gollwn ni'r dechrau,' meddai Tony'n flin.

Yr eiliad honno daeth teitl y fideo ar y sgrin mewn llythrennau mawr gwaedlyd:

PLANT Y FAMPIR

'Grêt!' medai Clare gan swatio yng nghornel hen soffa gyda darn o bitsa, can o lemonêd a chlustog.

'Dewis da iawn, Non,' meddai Tony. Gwgodd Steffi arno.

'Ie. Fetia i does neb arall yn yr ysgol wedi gweld hon,' meddai Jason.

Teimlodd hyd yn oed Steffi wefr fach bleserus wrth i'r ffilm ddechrau. Ymddangosodd hon fynwent anial ar y sgrin i gyfeiliant miwsig iasoer organ . . .

Yn sydyn—fflach—disgleiriodd y ffenestri fel

colofnau o dân. A gyda chlec aruthrol aeth y stafell yn ddu fel y fagddu.

Sgrechiodd rhywun.

Aeth y lle'n draed moch—a phawb yn baglu dros ganiau o ddiod a phitsa.

Yna daeth fflach arall a sŵn taran ddofn o berfeddion y tŷ.

'Mae'r mellt wedi diffodd y trydan,' meddai Non. ''Sdim ots. Dwi'n mynd i gynnau canhwylle a'u rhoi nhw fan hyn a fan draw.'

Yn ara bach daeth y stafell i'r golwg drwy'r golau crynedig a safodd Non ar gadair i gynnau'r candelabrwm erchyll a welsai Steffi'n gynharach.

Ar ôl ei gynnau roedd e'n fwy hynod fyth. Taflai pob cannwyll gysgod gargoil neu ystlum ar y waliau a'r nenfwd. Wrth i'r canhwyllau losgi roedd y cysgodion yn newid ffurf a lle, fel petai'r stafell yn llawn o ysbrydion.

Cododd Mel ar ei thraed i fwynhau'r sioe. 'Dylet ti fod wedi cynnau'r candelabrwm reit ar y dechrau,' meddai. 'Mae'n creu awyrgylch gwych ar gyfer ffilm arswyd.'

'Wel, mae'n rhy hwyr nawr,' snwffiodd Steffi. 'Yr unig lun arswyd welith Non heno yw ei hwyneb bach sensitif yn y drych yn ei stafell wely.'

Sensitif? Tybed a oedd Steffi wedi dewis y gair yn fwriadol? Crynodd Mel wrth gofio am alluoedd rhyfedd Non. Er gwaetha'r tŷ iasoer, roedd Non yn hollol normal heno . . . ond a oedd 'na bwerau goruwchnaturiol yn llechu mewn tŷ oedd yn gartref i 'sensitif'?

'Paid â chymryd dim sylw o Steffi, Non,' meddai Matt, gan droi ei gefn ar wyneb blin Steffi. 'Beth am ddweud storïau ysbrydion wrth ein gilydd?'

Cymerodd Matt un o'r canhwyllau tew melyn o'r silff ben tân a'i gosod ar ford fach yng nghanol y stafell. Eisteddodd pawb o'i hamgylch a'r cysgodion yn creu patrymau ar eu hwynebau. Nid giang o ffrindiau o ddosbarth 8C oedden nhw nawr, ond dieithriaid arswydus yng ngolau'r fflamau.

'Barod?' meddai Matt. 'Pwy sy'n mynd i ddweud y stori gyntaf?'

'Beth amdanat ti, Non?' gofynnodd Mel a'r geiriau o'r enseiclopedia yn glir yn ei meddwl: *Mae'r sensitif . . . yn trosglwyddo egni ysbrydol o fyd y bwganod, ellyllon a'r meirw aflonydd i'n byd materol ni.* 'Dwi'n siŵr dy fod ti'n gwbod digon o storïau ysbryd.'

'Ie,' meddai Jason. 'Dwedodd Mr Sanderson fod y ferch yn dy lun di'n edrych fel ysbryd.'

'Roedd hi'n sbŵci,' meddai Clare yng ngolau crynedig y gannwyll. 'Beth ddwedest ti oedd enw'r ferch?'

'Martha,' meddai Non gan syllu i fyw llygaid Clare. 'Ei henw yw Martha.' Edrychodd ar eu hwynebau llwydolau, o un i un, fel petai'n ceisio penderfynu a allai hi ymddiried ynddyn nhw.

'Ydw, dwi'n gwybod stori amdani, ond nid stori ysbryd go iawn yw hi, achos mae'n wir. A dw inne'n rhan ohoni. Stori am rywbeth ddigwydd-odd yn y tŷ hwn ac am y pethe rhyfedd ddigwyddodd yn yr ysgol.'

Sylwodd neb ar Steffi'n sleifio allan o'r stafell. Roedd hi'n dywyll, a ta beth, doedd Steffi ddim am i neb ei gweld. Doedd hi ddim am aros tra oedd Non yn cael sylw pawb. Roedd ganddi rywbeth pwysicach o lawer i'w wneud. Roedd hi am archwilio'r feithrinfa.

Teimlai ryw rym yn ei thynnu fel magned tuag at y stafell. Allai hi ddim anghofio amdani. Roedd rhaid iddi weld beth oedd y tu ôl i'r drws. Yn ofalus, ofalus, cripiodd i'r cyntedd.

15

Stori Non

'I chi, dechreuodd y stori pan ymunes i â'r dosbarth a phan welsoch chi'r digwyddiade rhyfedd yn yr ysgol,' meddai Non. 'Ond i fi, dechreuodd y stori cyn hynny, pan es i am dro i'r fynwent un diwrnod. I Martha, dechreuodd y stori dros gan mlynedd yn ôl yn y tŷ hwn.' Syllodd Non yn ddwfn i olau'r gannwyll.

'Ond fy stori i yw hon, a dwi'n mynd i gychwyn gyda'r trip i'r fynwent yn fuan ar ôl i ni symud yma. Cafodd fy hen-hen-dadcu ei fagu yn y tŷ. Yn ôl fy modryb roedd gyda fe sawl brawd a chwaer oedd yn byw yma hefyd, ond fe fuon nhw i gyd farw'n ifanc. Wnes i ddim meddwl am y peth nes gweld yr enw "Rhydderch" yn y fynwent.

'Des i ar draws hen gerrig beddau oedd yn llai na'r lleill. Roedd y sgrifen arnyn nhw bron â diflannu, ond llwyddes i i 'nabod yr enw "Rhydderch" —yr un enw â fi.

'Roedd yn sioc i ddarllen y geirie "Hunodd yn 6 oed" ar un ohonyn nhw. Gas gen i feddwl am rywun yn marw mor ifanc. Fy hen-hen-fodrybedd

74

a'm hen-hen-ewythrod oedd y plant hyn, ond dw i'n hŷn nawr na fuon nhw erioed.

'Pan o'n i'n sefyll yno yn y fynwent, daeth cwmwl dros yr haul a disgynnodd cysgod ar un garreg fedd. Clywes i lais ar yr awel, llais gwan plentyn yn galw arna i: *"Non, Non, helpa ni!"*

'Fe deimles i iasau drosta i gyd. Doedd dim sôn am neb, ond nid dychmygu o'n i. Roedd y llais fel petai'n dod o nunlle ac yn gweiddi *"Helpa ni!"* o hyd ac o hyd. Ro'n i eisie rhedeg i ffwrdd, ond roedd y llais yn dal i siarad. Doedd y geirie'n gwneud dim synnwyr, ond dwi'n eu cofio nhw'n iawn. *"Dangosa i bawb sut un oedd hi. Diala gam y gorffennol. Gad i ni orffwys mewn hedd."*

'"Pwy sy 'na?" gwaeddes. Ro'n i'n gwbod 'mod i'n ei mentro hi, ond swniai'r llais mor drist.

'Wedyn aeth y llais yn uwch ac yn fwy taer. Fe wyllties inne. Roedd y geirie *"Helpa ni! Helpa ni-i-i!"* yn atsain yn fy nghlustie wrth i fi ruthro o'r fynwent. Stopies i ddim nes cyrraedd adre.

'Fe dreies i anghofio'r peth. Ro'n i eisie credu 'mod i wedi dychmygu'r cyfan. Ond, y diwrnod cyn i fi ddechrau'r ysgol, dwi'n cofio golchi 'ngwallt a'i gribo o flaen y bwrdd gwisgo yn fy stafell. Ro'n i'n syllu i'r drych sy â chrac ynddo, ond doedd e ddim wedi torri bryd hynny.

'Un funud, roedd popeth yn normal, a'r funud nesaf cododd niwl dros y drych. Daeth llythrennau i'r golwg ar y gwydr . . . fel petai rhywun wedi anadlu arno ac yn ysgrifennu â bys anweledig.'

Tynnodd Mel anadl sydyn a thaflu cipolwg ar y lleill. Wrth eu golwg roedd pawb wedi deall—a dychryn. Roedden nhw'n cofio'r neges iasol a ymddangosodd yn y llwch sialc ar fwrdd du'r ysgol.

Daliai Non i syllu i fflam grynedig y gannwyll ar y ford. 'Y neges ar y drych oedd "Harriet Llwyd".'

'Ein hysgol ni?' meddai Tony'n syn. 'Be? Sgrifennodd yr ysbryd—neu beth bynnag oedd e—enw'r ysgol ar dy ddrych di?'

Ysgydwodd Clare ei phen yn ddryslyd. Taflodd Matt gipolwg amheus ar Non. Oedd hi'n gwneud hwyl am eu pennau? Hyd y gwydden nhw, rhyw fenyw barchus a *boring* o oes Fictoria oedd Harriet Llwyd. Roedd ganddi fwy o arian nag o synnwyr ac yn anffodus roedd hi wedi penderfynu defnyddio'i harian i sefydlu ysgol—eu hysgol nhw. Pa ots oedd hynny i hen berthnasau Non?

Roedd cryndod yn llais Non wrth iddi fynd yn ei blaen. 'Gofynnes yn uchel, "Beth ŷch chi eisie? Ai *chi* yw Harriet Llwyd?" ond cyn i fi gael cyfle i orffen y cwestiwn, craciodd y drych, yn union fel petai rhywun wedi ei daro'n chwyrn â dwrn anweledig.

'Mae'n anodd disgrifio, ond roedd 'na deimlad *ffyrnig* yn yr awyr. Roedd hi'n amlwg fod pwy bynnag oedd yn danfon y neges yn casáu Harriet Llwyd. Ond pam? A pham dweud wrtha i?

'Y noson honno, fe ges i'r ateb. Ro'n i'n gorwedd yn fy ngwely, yn methu'n lân â chysgu. Allwn i yn fy myw anghofio'r llais yn y fynwent na'r sgrifen ar y drych. Ro'n i'n troi a throsi a'r geirie "Harriet Llwyd" yn mynnu aros yn fy meddwl a llais y plentyn yn dal yn fy nghlust: *"Helpa ni! Dangosa i bawb sut un oedd hi. Diala gam y gorffennol. Gad i ni orffwys mewn hedd."*

'Yna fe sylweddoles i nad y tu fewn i fi oedd y llais. Roedd . . . roedd e yn y stafell gyda fi. Doeddwn i ddim ar fy mhen fy hun . . . a dwi ddim wedi bod ar fy mhen fy hun ers hynny.'

Syrthiodd y can diod gwag gyda chlec o law Mel. Gwingodd y lleill. Roedd llygaid pawb wedi'u hoelio ar Non. Roedd cymaint o egni o'i chwmpas, roedd yr awyr yn ffrwtian.

'Roedd y llais yn ailadrodd fy enw i drosodd a throsodd,' meddai Non yn dawel ac undonog wrth gofio'r digwyddiad. 'Eisteddes i fyny a dyna'r lle'r oedd hi wrth droed y gwely.'

'*Hi*?' meddai Tony. 'Pwy?'

'Martha,' meddai Non. 'Y ferch yn y llun. Ro'n i'n gallu'i gweld hi â'm llygaid fy hun, ac fe wyddwn i ar unwaith mai ei llais *hi* oedd yn galw yn y fynwent a'i bys *hi* sgrifennodd y neges ar y drych. A nawr roedd hi'n sefyll yn fy stafell i, mor agos ag rydych chi ac yn edrych yr un mor real.

'Roedd hi'n ddigon agos i fi gyffwrdd â hi, ond allwn i ddim. Roedd rhywbeth yn fy rhwystro—ei dillad henffasiwn falle, neu rywbeth arall. Rywsut ro'n i'n gwbod, petawn i'n estyn fy llaw i'w chyffwrdd, byddai'r llaw'n mynd reit drwyddi . . .'

16

Stori Martha

Wrth i'r giang wrando'n astud ar stori iasoer Non, goleuwyd y stafell gan fellten lachar a ffrwydrodd sŵn taran enbyd.

Ond roedd pawb yn dal i syllu ar Non. Wrth i'r daran ddistewi, aeth hithau yn ei blaen.

'Roedd wyneb y ferch mor wyn â chorff marw ac edrychai'n dorcalonnus,' meddai Non. 'Roedd ei breichiau a'i choesau'n denau, denau ac roedd hi'n tynnu'r siôl yn dynn amdani mewn ymdrech ofer i gael ei gwres.

'"Pwy wyt ti?" gofynnais.

'Fe ddwedodd hi ei henw ac yna adroddodd ei stori druenus. Roedd ei bywyd yn fyr ac yn sobor o drist.'

Dechreuodd Non adrodd stori Martha wrth Mel a'r lleill. Gwrandawodd pawb yn syn ar yr hanes diflas ac ar y twyll a'r drygioni a achosodd y fath dristwch.

'Roedd Martha'n byw yn y tŷ hwn dros gan mlynedd yn ôl. Roedd pump o blant yn y teulu a hi oedd yr hynaf,' eglurodd Non. 'Enwau'r lleill oedd Ffred, Tomos, Elisabeth a Gabriel.

'Aeth pethau o chwith pan drawyd Ffred ei brawd yn sâl. Roedd e'n dioddef o'r diciâu— clefyd yr ysgyfaint. Roedd llawer yn marw o'r diciâu bryd hynny.

'Penderfynodd ei rhieni anfon Ffred i sana-toriwm i geisio ei wella. Roedd y sanatoriwm ger y môr ac roedden nhw'n meddwl y byddai'r awyr iach yn gwneud lles i'r ysgyfaint.

'Ond yna trawyd y rhieni hefyd yn sâl. Doedd neb yn gwybod pam. Doedd gan y doctoriaid ddim syniad beth oedd yn bod. Ond roedden nhw'n gwanhau o ddydd i ddydd a fedren nhw ddim edrych ar ôl eu hunain, heb sôn am y plant. Penderfynon nhw hysbysebu am wraig i gadw'r tŷ.

'Dim ond un person ymgeisiodd am y swydd a doedd rhieni Martha ddim yn deall pam oedd hi eisie'r gwaith. Roedd hi'n rhy dda o lawer i'r swydd. Roedd hi wedi arfer gweithio fel athrawes breifat ac wedi nyrsio yn Rhyfel y Crimea hefyd. Fe gynigiodd redeg y tŷ, nyrsio rhieni Martha a rhoi gwersi i'r plant.

'I rieni Martha roedd hi'n angel, ond yn eu cefnau roedd hi'n berson caled a llym. Ei henw hi oedd yr enw sgrifennodd ysbryd Martha ar y drych . . . Harriet Llwyd.

'Doedd Miss Llwyd ddim yn fodlon i'r plant fynd yn agos at eu rhieni. "Mae'n beryg bywyd i chi," meddai. "Fe fyddai'ch rhieni'n torri eu calonnau petaech chi'n dal y clefyd." Roedd hi'n pallu gadael i Martha alw drwy'r drws ar ei mam hyd yn oed.

'Roedd y rhieni'n gweld eisie'r plant ac fe ofynnon nhw i Miss Llwyd drefnu i arlunydd beintio eu llun a'i hongian yn y stafell. Fe gawson nhw eu dymuniad, er nad oedd Ffred yn y llun ac er i Miss Llwyd fwmian dan ei gwynt fod y cyfan yn "wastraff arian".

'Yn y tŷ dechreuodd hi gymryd yr awenau i'w dwylo. Wrth i rieni Martha wanhau, daeth hi'n feistres arnyn nhw. I bob golwg roedd hi'n garedig a hael ac roedden nhw'n teimlo'n ddyledus iawn iddi. Roedden nhw'n ymddiried ynddi'n llwyr ac yn ei chanmol i'r cymyle. Roedd y ddau o dan ei bawd. Am actores wych!

'Yn ôl Martha, petawn i wedi cwrdd â hi, fe fyddwn inne hefyd yn meddwl ei bod hi'n sant. A phawb arall 'run fath. Tra oedd rhieni Martha'n fyw, doedd dim yn ormod ganddi. Roedd hi'n paratoi eu bwyd a'u diod i gyd ei hunan, a hyd yn oed y moddion llysiau. Roedd hi'n gofalu amdanyn nhw ar ei phen ei hun ddydd a nos.

'Ond drwy gydol yr amser, roedd hi'n disgwyl iddyn nhw farw ac efalle'n gwneud yn siŵr y bydden nhw'n marw. Pwy a ŵyr beth roddodd hi yn y moddion llysiau?

'Rhaid bod Miss Llwyd ar ben ei digon y diwrnod y penderfynodd rhieni Martha newid eu hewyllys a gadael popeth iddi hi. Ar ôl iddyn nhw farw, hi fyddai piau 34 Gerddi Lelog ac arian y teulu i gyd.

'Roedd rhieni Martha wedi trefnu drwy gyfraith i Miss Llwyd gymryd gofal o'r plant. Hi fyddai'n eu magu ac yn gwneud penderfyniade ynglŷn â'u dyfodol. Wel, roedd Miss Llwyd wedi penderfynu un peth yn barod—ar ôl i'r rhieni farw, fyddai gan y plant ddim dyfodol! Byddai'r gwaith caled, y twyll, y gwenau tirion a'r holl garedigrwydd wedi talu ar ei ganfed. Fyddai dim rhaid iddi esgus dim mwy.

'A dyna'n union beth ddigwyddodd. Pan fu farw rhieni Martha, yn lle gofalu'n dirion am y plant, dechreuodd eu trin fel baw. Yna fe drodd hi'r tŷ'n gartref i blant amddifad ac agorodd y drws i bob plentyn digartre yn Nhredalar.

'Ond tric oedd hwn eto—nid caredigrwydd. Fe dwyllodd hi bawb yn Nhredalar. Roedd pobl y dre'n baglu ar draws ei gilydd i roi arian i'w "hachos da".

'Ond yn eu cefnau roedd hi'n trin y plant amddifad gynddrwg â Martha a'i theulu. Roedd rhaid iddyn nhw weithio o fore tan nos er mwyn cael matres ar y llawr ac ychydig bach o fwyd.

'Llanwodd Miss Llwyd ei phocedi ei hun â'r arian a gasglwyd gan bobl Tredalar . . . a'r arian a adawyd iddi gan rieni Martha. Yn ôl eu hewyllys roedd ganddi'r hawl i reoli pob ceiniog goch . . .'

Oedodd Non am funud a gwthio'i gwallt coch yn ôl dros ei thalcen. Roedd 'na ddagrau yn y llygaid llwyd, meddyliodd Mel. Roedd hi'n braf gweld Non yn dangos ei theimladau am unwaith.

'Gabriel oedd y cyntaf i farw,' meddai Non a'i llais bron â thorri. 'Er iddo farw o'r diciâu, yn ôl Martha fe wnaeth Miss Llwyd ei gorau glas i wneud ei gyflwr yn waeth.

'Roedd hi'n gwybod yn iawn pa mor sâl oedd e a'i frawd Tom. Pan glywodd hi nhw'n peswch a'u gweld nhw'n nychu, fe wnaeth iddyn nhw weithio'n galetach. Ac os oedden nhw'n cwympo i gysgu yn lle gweithio—roedd hynny'n digwydd yn aml tua'r diwedd—roedd hi'n eu cosbi.

'Byddai Harriet Llwyd yn cloi plant "drwg" yn y cwpwrdd yn y feithrinfa am oriau ar y tro. Roedd hi'n gwybod fod ar Gabriel ofn y tywyllwch, ond roedd hi'n hollol ddidrugaredd. Byddai'n eu gwthio i mewn, gwenu'n faleisus ac yna'n dweud "Golau allan!" a chau'r drws yn glep. Cyn hir byddai Gabriel yn beichio crio a'i gorff bach tenau yn crynu fel deilen.

'Bu Martha'n erfyn ar Miss Llwyd i anfon Gabriel a Tom i'r sanatoriwm at Ffred. Chwerthin wnaeth Miss Llwyd. Dyna pryd ddwedodd hi wrth Martha fod Ffred wedi marw. "'Sdim eisie talu arian da. Gallan nhw farw gartre am ddim," meddai'n greulon.

'Ar ôl i Gabriel farw, tro Tomos oedd nesa . . . ac yn fuan wedyn Elisabeth, unig chwaer Martha.

'Un noson yn y gaeaf, a hithe'n teimlo'n hollol unig a diymadferth, penderfynodd Martha wynebu

Harriet Llwyd. Roedd hi'n gadael, meddai. Fyddai hi ddim yn dod 'nôl nes i'r byd cyfan glywed y gwir am Harriet Llwyd.

'Chwarddodd Harriet Llwyd yn ei hwyneb. Beth ddwedai hi? Wrth bwy ddwedai hi? Pa brawf oedd ganddi? Doedd gan Martha ddim ateb i'r cwestiynau. Roedd hi'n rhyw feddwl fod gan y teulu berthynas pell yn Llundain, ond doedd ganddi ddim syniad sut i ddod o hyd i'r cyfeiriad na ble i gael arian i dalu am docyn trên.

'Ond doedd dim troi'n ôl. Agorodd Harriet Llwyd y drws led y pen. "Pam wyt ti'n oedi?" meddai. "Ffwrdd â ti. Dwed wrth bawb, 'sdim ots gen i. Pwy fydd yn dy gredu di?"

'Wrth syllu i wyneb creulon Harriet Llwyd, sylweddolodd Martha ei bod hi wedi mentro gormod. Tu allan roedd storm yn chwythu. Doedd Martha ddim yn gryf. Falle byddai'r daith yn ormod iddi, ond roedd rhaid iddi roi cynnig arni. Doedd hi ddim am i Harriet Llwyd ennill.

'Roedd ysbryd Martha'n ail-fyw'r foment erchyll honno,' meddai Non. 'Roedd hi'n crychu'r siôl rhwng ei bysedd esgyrnog a'i llais yn torri, yn union fel petai hi'n ymladd am ei bywyd unwaith eto.' Llosgai llygaid Non wrth feddwl am y fath greulondeb.

'Edrychodd arna i. Roedd ei llygaid mor dreiddgar allwn i ddim edrych draw. Roedd ei llais yn gwanhau, ac wrth dynnu at ddiwedd ei stori drist, roedd hi'n dechrau diflannu.

'Dihangodd hi o'r tŷ a cherdded a cherdded drwy'r storm. Roedd pothelli ar ei thraed a'i dwylo wedi rhewi'n gorn. Collodd ei ffordd yn y tywyllwch ac roedd hi'n ymladd am ei hanadl. Yna fe ddechreuodd hi beswch ac roedd rhaid iddi eistedd i orffwys ar garreg fawr ar Ros Tredalar. Roedd y garreg honno fel carreg fedd iddi.' Oedodd Non eto. Daeth cryndod i'w llais.

'Suddodd Martha i lawr ar droed fy ngwely i wrth gofio am y noson ofnadwy honno,' meddai Non. 'Lapiodd ei breichiau am ei phen a swatio yno fel petai'n cuddio rhag y gwynt cryf a'r curlaw.

'A dyna sut y bu hi farw, mae'n rhaid. Wrth i'w hysbryd ddiflannu, daeth teimlad o dristwch ac anobaith drosta i.

'Ei geiriau olaf oedd y geiriau a glywes i yn y fynwent. "*Helpa ni! Dangosa sut un yw hi. Diala gam y gorffennol. Gad i ni orffwys mewn hedd.*"'

17

Dial!

'Waw!' Jason dorrodd y distawrwydd ar ddiwedd y stori. 'Mae'n anodd credu, Non.'

Edrychodd Non yn amheus arno.

'Hynny yw, mae hi'n stori ryfeddol iawn,' meddai Jason yn frysiog. 'Dwi yn ei chredu hi. Wir!' Nodiodd y lleill.

'Felly . . . ysbryd Martha wnaeth yr holl bethe rhyfedd yn yr ysgol,' meddai Matt yn araf.

'Ie,' meddai Non.

'Non,' meddai Mel yn ofalus. 'Ai ti achosodd i ysbryd Martha wneud y pethe 'na? Dwi . . . dwi wedi darllen am bobl sy'n gallu gwneud hynny. Pobl sy'n cael eu galw'n "sensitif".'

Ysgydwodd Non ei phen. 'Does gen i ddim rheolaeth dros Martha, os mai dyna beth wyt ti'n feddwl. Daeth Martha ata i am fod angen help arni ac mae'n debyg 'i bod hithe am wneud ei rhan. Mae hi eisie helpu.'

'Dy helpu di?' gofynnodd Jason.

'Ie, dwi'n meddwl. Pan fydda i'n ddiflas neu

wedi ypsetio, dyna pryd mae hi'n gwneud y pethe 'ma,' meddai Non.

Pan soniodd Non am 'ypsetio', syllodd y lleill ar y llawr yn euog. Doedden nhw wedi gwneud fawr i helpu Non i wynebu Steffi. Edrychon nhw ddim ar ei gilydd. Petaen nhw wedi, efalle y bydden nhw wedi sylweddoli fod Steffi ar goll.

***

Ble yn y byd oedd y feithrinfa? Roedd Steffi'n dechrau anobeithio. Fe drodd hi gornel arall gan ddisgwyl gweld y drws ar ei chwith, ond doedd dim yno ond wal hir a rhes o ddarluniau diflas. Edrychai popeth mor wahanol y tro hwn yng ngolau crynedig y gannwyll yn ei llaw—roedd Steffi wedi cymryd cannwyll o'r cyntedd i oleuo ei llwybr. Doedd ryfedd ei bod hi'n troi mewn cylch.

Tynnodd anadl ddofn. Paid â gwylltu! meddai wrth ei hun. Aeth yn ôl dros y llwybr ddilynon nhw'n gynharach. Dyma'r grisiau i'r stafell sbâr a dyma'r coridor lle daeth Tony ar draws Esmerelda. Dyma'r grisiau cefn: i lawr un rhes ac yna'r rhes nesa, ar hyd y coridor. Dyma lle roedden nhw'n sefyll pan ganodd cloch y drws, felly petai hi'n troi i'r chwith . . . dylai'r feithrinfa fod rownd y gornel. A'i dwylo'n crynu cydiodd yn dynn yn y ganhwyllbren bres a cherdded yn ei blaen.

***

Lawr grisiau, yn y parlwr, roedd pawb ar bigau'r drain. Roedd yn fraint i'r giang gael rhannu cyfrinach ryfeddol Non, er mai nawr roedden nhw'n sylweddoli pa mor gas y buon nhw iddi. Ond ar y foment nid Non oedd angen help, ond Martha.

'Dwi ddim yn deall,' meddai Tony gan godi'i ysgwyddau. 'Os yw Martha a Harriet Llwyd wedi hen farw, sut gallwn ni newid pethe? Mae'n hen hanes.'

'Na, gwranda,' meddai Mel ar ei draws. 'Dyw Harriet Llwyd ddim wedi marw. Mae ei *henw* hi'n fyw o hyd. Mae pawb yn meddwl mai menyw dda, barchus oedd hi, ond dyw hi ddim yn rhy hwyr i gyhoeddi i'r byd mai twyllreg oedd hi, hen ast greulon, nid person caredig . . .'

Yn sydyn poerodd y canhwyllau. O gornel y stafell daeth sŵn rhincian. Roedd y casét fideo ar ben y teledu yn crynu'n dawel bach. Aeth y crynu'n waeth a'r sŵn yn uwch.

Cyn hir roedd y stafell gyfan yn ysgwyd o'r llawr i'r nenfwd. Roedd y lluniau'n siglo ar eu bachau, y celfi'n clecian a tharo yn erbyn ei gilydd a'r candelabrwm erchyll yn gwegian yn wallgo, gan daflu cysgodion gwyllt dros y stafell. Syllodd Mel a Matt ar ei gilydd mewn syndod a braw.

Yna dechreuodd estyll y llawr grynu a gwichian. Yn sydyn llithrodd cornel o'r carped croen arth tuag yn ôl a daeth astell i'r golwg. Roedd yr astell yn strancio mor wyllt nes i'r hoelion oedd ynddi dasgu allan fel bwledi o wn.

Hedfanodd un hoelen heibio i Clare gan grafu ei boch a thynnu gwaed. Gwibiodd fflewyn anferth o bren heibio i fraich Matt. Cydiodd Mel yn dynn yn llawes Non, tra swatiai Clare y tu ôl iddyn nhw. Syllai'r bechgyn ar ei gilydd mewn panig llwyr.

Gyda sŵn rhwygo erchyll daeth yr astell yn rhydd o'r llawr. Sbonciodd i'r awyr a hedfan ar draws y stafell, fel pe bai rhyw rym goruwch-naturiol y tu ôl iddi. Plygodd Jason ei ben wrth i'r astell daro'n glep yn erbyn braich cadair, neidio'n ôl a disgyn ym mhen draw'r stafell. Aeth pobman yn dawel.

Syllodd y giang mewn rhyfeddod ar y twll enfawr yn y llawr.

***

Wrth i Steffi agosáu at ddrws y feithrinfa, roedd ofn arni ond teimlai'n llawn cyffro hefyd. Chymerodd hi ddim sylw o guro gwyllt ei chalon, dim ond estyn at y bwlyn pres gloyw. Teimlai'n oer dan ei llaw. Tynnodd anadl ddofn, trodd y bwlyn a gwthio'r drws ar agor.

Yn rhyfedd iawn roedd digon o olau yn y feithrinfa. Drwy'r ffenest noeth disgleiriai'r lleuad ar olygfa nad oedd wedi newid ers blynyddoedd, ers degawdau.

Mewn un gornel safai tŷ dol crand pedwar llawr a'i lond e o gelfi. Yn y llall safai caer bren a rhesi o filwyr plwm yn ymladd â'i gilydd. Ar sedd ffenest eisteddai rhes o ddoliau a'u llygaid disymud yn syllu'n iasoer o'u hwynebau gwyn tsieni. Yn eu hymyl, yn wag a thruenus, roedd pram dol gyda chwrlid les drosti.

Edrychodd Steffi o'i chwmpas yn nerfus. Beth oedd hi'n ddisgwyl? Wyddai hi ddim. Symudodd rhywbeth yng nghornel y stafell. Beth oedd y sŵn 'na? Sŵn chwerthin isel yn tewi ar amrantiad. Cymerodd gam i gyfeiriad y chwerthin, ond rhewodd yn sydyn. O'r tu ôl iddi dôi sŵn gwichian rhythmig.

Trodd ar ei sawdl a gwelodd geffyl pren brith yn dangos ei ddannedd. Ai dychmygu oedd hi, neu a oedd y ceffyl yn siglo? Hei, callia, meddai wrthi ei hun. Rwyt ti'n mynd dros ben llestri. Does neb yma. Ond allai Steffi ddim cael gwared â'r teimlad rhyfedd fod rhywun yn ei gwylio. A chyn hir fe sylweddolodd hi pam.

Yn hongian dros y silff ben tân roedd llun olew mawr. Daliodd Steffi ei hanadl. Roedd pedwar plentyn mewn dillad henffasiwn yn syllu arni o'r llun.

Roedd eu llygaid yn drist ac yn wyliadwrus a rywsut teimlai Steffi'n euog. Ar un ochr safai bachgen bach dewr yr olwg mewn siaced a thrywsus pen-glin. Yn ei ymyl edrychai'r ddau blentyn lleiaf, bachgen a merch, yn welw a blinedig. Ar yr ochr arall, yn estyn ei llaw i amddiffyn y rhai bach, safai merch hŷn. Roedd hi 'run ffunud â'r ferch yn llun Non, y ferch o'r enw Martha.

***

Tony oedd y cyntaf i fagu digon o blwc i archwilio'r twll llychlyd o dan yr astell. Cerddodd ar flaenau'i draed ar draws y parlwr a mentro llosgi ei fysedd wrth estyn pwt bach o gannwyll i'r twll.

Ar yr olwg gyntaf roedd y twll yn siomedig. Doedd dim i'w weld ond llygoden wedi marw a hen binnau gwallt. Ond wrth i Tony godi, crynodd y gannwyll a gwelodd e rywbeth yn disgleirio y tu hwnt i'w gyrraedd.

'Hei! Dwi wedi gweld rhywbeth!' gwaeddodd yn gyffro i gyd.

'Bydd yn ofalus, Tony,' meddai Clare. Roedd Tony'n gorwedd ar ei fol ac yn estyn ei fraich i'r twll. Stryffagliodd i gyrraedd y peth disglair ac o'r diwedd teimlodd ddarn o ddefnydd dan ei fys. Tynnodd yn ofalus, ofalus gan ddal ei anadl.

***

Wrth i Steffi syllu ar lun y pedwar plentyn trist, teimlodd lygaid Martha'n treiddio i'w hymennydd, yn union fel y llygaid yn llun Non. Rywsut roedd personoliaeth y ferch yn llanw'r stafell, ac, yn ei byw, allai Steffi ddim edrych draw. Nes iddi glywed sibrwd gwan o'r cwpwrdd mawr tal yn y wal yn ymyl y lle tân!

Gadawodd Steffi'r ganhwyllbren ar y silff ben tân a dechreuodd symud i gyfeiriad y sŵn. Ar y ffordd clywodd dwrw pell, fel petai rhywun yn symud dodrefn i lawr grisiau. Aeth y sŵn yn uwch a'r cryndod yn fwy a mwy ffyrnig.

Cyn hir roedd y feithrinfa hefyd yn symud. Llithrodd y milwyr plwm o waliau'r gaer a disgyn yn glec ar lawr . . . crynodd y cwrlid les ar y pram dol . . . siglodd y llun olew uwchben y lle tân ac ysgwyd yn ôl ac ymlaen.

A thrwy gydol yr amser clywai Steffi chwerthin pell yn dod o gyfeiriad y cwpwrdd, fel petai rhywun yn gwneud hwyl am ei phen.

Wrth i'r ysgwyd a'r siglo gyrraedd uchafbwynt, diffoddwyd y gannwyll, taflwyd drws y cwpwrdd led y pen ar agor a diflannodd y ffenest o'r golwg. Yn sydyn roedd y stafell yn ddu fel y fagddu, yn dawel a llonydd.

Dim sŵn nac ysgwyd. Dim chwerthin pryfoclyd chwaith—ond yn y tawelwch clywodd Steffi rywbeth tebyg i ochenaid fach. Oedd 'na rywun yn y cwpwrdd? Camodd Steffi tuag ato.

Y foment honno, o'r tywyllwch, daeth rhywbeth i gyffwrdd yn ysgafn â'i boch. Teimlai fel llaw denau, oer. Sgrechiodd Steffi a throi mewn cylch a'i dwylo'n syth o'i blaen fel petai hi'n chwarae mwgwd y dall.

Gwylltiodd a rhedeg mewn panig. Roedd hi'n chwilio am ddrws y feithrinfa ond trawodd ei breichiau yn erbyn paneli pren garw. Gwyddai Steffi ei bod hi mewn lle cyfyng a chyn hir teimlodd gyrff eraill yn ei hymyl, rhai oer a llaith. Clywodd y sibrwd eto. Roedd e'n agos iawn ati'r tro hwn.

'Steffi,' sibrydodd y lleisiau. Lleisiau plant— lleisiau main, gwawdlyd—yn chwerthin, nid yn garedig, ond yn faleisus.

'Steffi!'

Unwaith eto teimlodd rywbeth yn cyffwrdd yn ysgafn â'i hwyneb, bys esgyrnog yn ei phwnio yn ei hochr a dwrn bach direidus yn tynnu ei gwallt. Yna sibrydodd y lleisiau mewn côr nes oeri ei gwaed.

'Golau allan!' medden nhw'n ysgafn a drygionus —dro ar ôl tro. Teimlai Steffi'n chwil. Suddodd i'r gornel a'i phen yn ei dwylo, ond daliai'r lleisiau i lafarganu.

'Golau allan! Golau allan!'

Aeth pobman yn dawel. Cododd Steffi ei phen yn obeithiol. Oedd yr hunlle ar ben? Yna— CLATSH! caeodd drws y cwpwrdd yn dynn . . .

. . . a Steffi y tu mewn iddo.

18

Llythyron

'Mae e gen i, beth bynnag yw e!' broliodd Tony. Cododd cwmwl o lwch o'r twll yn llawr y parlwr wrth i Tony lusgo'r peth trwm i olau'r gannwyll. Bag carped mawr henffasiwn oedd e gyda bwcl pres arno.

'Hei, Non, ti ddyle agor hwn,' meddai Tony. Gwthiodd y bag tuag ati.

'Na,' meddai Non. 'Agora di fe, Mel.'

Tynnodd Mel ei bawd dros y bwcl llychlyd a daliodd ei gwynt. Ar y bwcl roedd y llythrennau H. Ll. 'Harriet Llwyd,' sibrydodd gan agor y bag yn ara bach.

Neidiodd Mel o'r ffordd wrth i storm o bapurau ffrwydro o'r bag. Tasgodd ffrwd o dudalennau i'r awyr a throi a throelli uwch ei phen fel corwynt gwallgo.

Wrth i'r dudalen olaf ddisgyn i'r llawr, cododd Mel hi'n ofalus. Roedd hi'n dudalen gwerth chweil. Tudalen o lythyr oedd hi. Llythyron oedden nhw i gyd.

Ddwedodd neb air. Roedd yr awyr yn drewi o

lwch a hen bapur. Plygodd Mel dros y bag a syllu i mewn iddo. Yn dawel bach cododd hi'r bag a'i droi ben i waered. Cwympodd bwndel o lyfrau clawr lledr i'r llawr.

'Edrychwch ar hyn,' meddai Mel gan agor un o'r llyfrau a throi'r tudalennau llychlyd, melyn. 'Hei! Am lwc!'

Roedd Non wrthi'n darllen un o'r llythyron.

'Y dyddiad ar hwn yw Hydref 11eg 1876,' meddai. 'A. H. Llwyd yw'r llofnod. Ond mae'r llythyr fel traed brain. Mae hi wedi croesi hanner y geirie allan.'

'Efalle ei bod hi wedi gwneud copi taclus yn nes ymlaen,' meddai Matt gan wneud ei orau i ddarllen y sgrifen heglog dros ysgwydd Non. 'Rhaid ei bod hi, achos os oedd hi wedi sgrifennu llythyr at rywun arall, fydde hi ddim yn ei gadw fe, fydde hi?'

'Y cyfeiriad ar y llythyr yw Joshua Samuel Ysw., Cyfreithiwr, Stryd yr Efail, Tredalar,' meddai Non. 'Gwrandewch . . .'

"Annwyl Syr. Maddeuwch i mi am fod mor hir cyn ateb eich llythyr. Fel y deallwch, mae'n siŵr, rwyf bron iawn â thorri fy nghalon ar ôl marwolaeth drist fy nghyflogwyr a than yn ddiweddar ni fedrwn wynebu trafod eu hewyllys . . ."

'Yr ast gelwyddog!' meddai Mel yn chwyrn. 'Hi laddodd nhw, bron iawn.'

'Shhh! Gad i ni glywed y gweddill,' meddai Jason.

Darllenodd Non.

'*Pan fydd yr amser yn gyfleus, rwyf yn barod i arwyddo'r* . . . rhywbeth neu'i gilydd—alla i ddim darllen y darn 'na . . . *ac felly rwyf yn bwriadu troi 34 Gerddi Lelog yn gartref i blant amddifad. Rwyf yn siŵr y byddai Mr a Mrs Rhydderch yn falch iawn fod rhywun yn elwa o'u tristwch nhw a* . . . mae hi wedi croesi rhagor o eirie allan, alla i ddim darllen hwn chwaith, felly . . . *yn y dyfodol hoffwn i gysylltu â chi ynglŷn â chychwyn sefydliad elusennol i arolygu'r gwaith* . . .'

'Twyllreg!' meddai Matt yn ddig. 'Mae'n swnio mor dduwiol, ond os yw hanner y pethe ddwedodd Martha am yr hen wrach yn wir . . .'

'Edrychwch ar hwn,' meddai Mel gan agor un o'r llyfrau oedd wedi disgyn o'r bag. 'Dyma'i dyddiadur.' Tyrrodd y lleill o'i hamgylch i weld y sgrifen fach dwt ar yr hen dudalennau melyn.

Hydref 18fed 1876

Annwyl Ddyddiadur,

Rhaid i fi ddweud wrth rywun am lwyddiant fy nghynllun, ond ni allaf ymddiried yn neb. Mae pobl mor ddwl, felly dyma fi'n rhoi fy meddyliau cudd ar bapur. Mae'r ffordd yn glir nawr. Mae'r cynllun yn agos at gael ei gwblhau. Ar ôl i fi arwyddo'r dogfennau cyfreithiol, fi fydd piau ffortiwn y teulu.

96

Mae'r plentyn hynaf yn dân ar fy nghroen gyda'i hwyneb cyhuddgar a'i hymddygiad digywilydd. Mae arnaf ofn ei bod hi'n deall fy nghynllun i'n iawn, ond pwy fydd yn credu gair plentyn sâl deuddeg oed?

Bydd hi allan o'r ffordd cyn bo hir. Fe fyddaf wedi cael gwared arni hithau hefyd, fel ei brodyr a'i chwaer a'i rhieni o'i blaen.

Pwy fydd yn cofio am Deulu Rhydderch wedyn? Dim enaid byw. Fi, Harriet Llwyd, fydd yn enwog drwy'r dref am fy ngwaith da.

Os bydd fy nghynllun i'n gweithio, cyn hir bydd gennyf ddigon o arian i'w roi'n waddol i ysgol leol neu ysbyty ac yna byddaf ar ben fy nigon: fe fyddaf yn gyfoethog tu hwnt a bydd fy enw'n para am byth.

Roedd y tudalennau eraill yn go debyg. Agorodd Mel lyfr arall. Dyddiadur arall eto. Roedd Miss Llwyd wedi cofnodi pob cynllwyn drwg yn fanwl iawn, ddydd ar ôl dydd. Roedd 'na lyfrau arian hefyd—pob un yn llawn o golofnau o rifau bach twt.

Roedd pawb yn darllen yn eiddgar erbyn hyn. Ac roedd pob llythyr, pob cofnod a phob rhif, yn rhan o'r jig-so fyddai'n difetha enw da Harriet Llwyd.

'Hei, gwrandewch,' meddai Tony. 'Dyma gopi o lythyr anfonodd hi at Gyngor Plwyf Tredalar. Iych! Mae'n gwneud i fi deimlo'n sâl . . .'

Gwrandawodd pawb yn dawel ar Tony'n darllen

y geiriau sgrifennodd Harriet Llwyd dros ganrif yn ôl.

'Derbyniais gyda diolch a gwyleidd-dra eich anrheg o bedwar can punt i Sefydliad Harriet Llwyd. Hoffwn ei ychwanegu i gronfa a neilltuais ar gyfer cynllun elusennol newydd ac uchelgeisiol iawn. Maddeuwch i mi am beidio â datgelu'r manylion ar hyn o bryd. Rwyf yn meddwl, er lles yr achos, mai gwell i mi gadw'r gyfrinach nes y byddaf wedi gwthio'r cwch i'r dŵr . . .'

'Fetia i 'mod i'n gwbod beth oedd y cynllun elusennol,' meddai Jason.

'Beth?' meddai Clare.

'Ein hysgol ni. 'Na wastraff! Piti na fyddai hi wedi pocedu'r arian.'

'Wel, yn ôl hwn,' meddai Matt a darn o bapur yn chwifio'n ei law, 'roedd hi yn gwneud hynny. Edrychwch . . .'

ANWYL H,
GAIR BACH I WEUD BOD FI WEDI DERBYN Y SIEC DDIWETHARA A WEDI CADW HI'N DDIOGEL FEL Y LLEILL. MAE GEN TI SWM GO DDA ERBYN HYN AC MAE RHAGOR I DDOD, OND OES? COFIA SIÂR FI.
MAM YN COFIO ATAT TI.
S.LL.

'Tybed pwy oedd yn ei helpu hi?' meddai Matt.

'Edrycha ar y llofnod S. Ll.' meddai Jason. 'A "Mam yn cofio atat ti". Un arall o'r Llwydiaid digywilydd, siŵr o fod.'

'Wel, Harriet oedd brêns y teulu, mae'n amlwg,' chwarddodd Mel.

Ond torrodd Clare ar ei thraws. 'Aros funud. Edrycha ar hwn.' Yn ei llaw roedd llythyr a anfonwyd at Harriet Llwyd, llythyr wedi ei deipio ar beiriant henffasiwn. Tyrrodd y lleill o'i hamgylch a'i ddarllen heb ddweud gair.

10 Coedlan Ormond,
Parc y Rhos,
Aberdwylan

Tachwedd 11eg 1910

Annwyl Madam,

Maddeuwch i mi am sgrifennu atoch mor ddirybudd. Byddwch yn synnu clywed mai fy enw i yw Ffred Rhydderch. Fi yw'r unig un o'r teulu sy'n dal yn fyw.

Fel y cofiwch, mae'n siŵr, bu gweddill y teulu farw o glefyd enbyd flynyddoedd lawer yn ôl. Ar y pryd roeddwn i mewn sanatoriwm yn gwella'n araf ond, yn ddirybudd, drwy gamgymeriad gweinyddol, daeth y taliadau i ben. Fe'm hanfonwyd i'r

99

tloty lleol, lle diflas tu hwnt a oedd yn llawn o gleifion, yr hen a'r gwan. Fel y gallwch ddychmygu, dirywiodd fy iechyd yn gyflym ond, er gwaethaf popeth, fe wellais.

Ymhen amser fe glywais amdanoch ac am eich caredigrwydd mawr tuag at fy nheulu. Roeddwn i am ddiolch yn bersonol i chi ac eto fedrwn i ddim yn fy myw. Doeddwn i ddim eisiau dychwelyd i 34 Gerddi Lelog. Roedd yr atgofion yn rhy drist.

Ond gyda threigl amser, mae fy amgylchiadau wedi newid. Rwyf nawr yn ŵr priod gyda'm teulu fy hun. Er bod fy hen gartre'n dal i ddwyn atgofion trist, a minnau'n hŷn, caf fy hun yn meddwl mwy a mwy am Dredalar ac am 34 Gerddi Lelog yn arbennig. Maddeuwch i mi am fod mor ddigywilydd, ond tybed a ydych chi wedi ystyried gwerthu'r tŷ?

Edrychaf ymlaen at dderbyn eich ateb a gobeithio y byddwch yn ystyried o ddifri fy nghynnig i brynu'r lle.

Gyda pob ddyledus barch,

Ffred T. Rhydderch

Ffred T. Rhydderch

'Nawr dwi'n deall!' gwaeddodd Non yn gyffro i gyd. Cipiodd y llythyr o law Clare. 'Roedd Harriet wedi dweud wrth Martha fod Ffred wedi marw yn y sanatoriwm. Ond doedd hynny ddim yn wir. Roedd e'n fyw! Ffred oedd fy hen-hen-dadcu.'

'Camgymeriad gweinyddol, wir,' meddai Tony'n flin. 'Gwrthod talu wnaeth Miss Llwyd ar ôl i rieni Ffred farw. Roedd hi'n gwybod yn iawn y câi ei anfon i'r tloty. Roedd hi am iddo farw . . .'

'Ond wnaeth e ddim,' meddai Clare yn wên o glust i glust. 'Tybed be wnaeth Harriet pan gafodd hi'r llythyr? Roedd hi'n gacwn gwyllt, siŵr o fod.'

'Neu wedi dychryn,' meddai Matt.

Roedd Mel yn bodio drwy ddyddiadur Harriet am y cyfnod hwnnw.

'Dyma ni,' meddai Mel. 'Dyma beth sgrifennodd hi ar Dachwedd 12ed 1910 . . .

' "*Mae e'n fyw! Fe gefais dipyn o ysgytwad—a braw hefyd. Ond dyna ffŵl yw e. Dyn yn ei oed a'i amser yn meddwl fy mod i'n sant a minnau'n gwneud gwaith y diafol! Yn lle fy nghyhuddo i o ddifetha ei fywyd a'i deulu, mae'n fy nghanmol i'r cymylau.*" '

'Beth am hwn?' meddai Non. Roedd hi wedi cael gafael ar lythyr i Ffred Rhydderch oddi wrth Harriet Llwyd. 'Ar ôl gwneud cymaint o gam ag e, roedd rhaid iddi dwyllo Ffred unwaith yn rhagor. 'Drychwch . . .'

34 Gerddi Lelog, Tredalar

Ionawr 11eg 1911

Annwyl Mr Rhydderch,

Ar ôl rhoi'r sylw dyledus i'ch llythyr, rwyf wedi dod i benderfyniad. Gan fy mod mewn gwth o oedran, rwyf yn fodlon derbyn eich cynnig i brynu 34 Gerddi Lelog. Ond rhaid i fi bwysleisio ei bod hi ond yn deg ystyried dyfodol y sefydliad wrth bennu pris.

Fel y gwyddoch, mae prisiau tai wedi codi'n sylweddol yn ystod y blynyddoedd diwethaf ac mae'r rhan hon o Dredalar yn chwaethus a dymunol iawn.

Rwyf yn siŵr y gallwn gytuno ar bris teg gan eich bod chi mor awyddus i symud yn ôl i gartref eich teulu.

Edrychaf ymlaen at glywed gennych. Hoffwn ateb buan gan fy mod i eisoes wedi derbyn nifer o gynigion hael am y tŷ, a fynnwn i mo'ch siomi.

Yr eiddoch yn gywir,

Harriet Llwyd.

102

'Am wyneb!' meddai Matt. 'Gwneud i Ffred dalu drwy'i drwyn am ei dŷ ei hun!'

'Hm! Erbyn hyn roedd Harriet yn meddwl y gallai wneud fel y mynnai,' meddai Jason.

Cododd Mel ei hysgwyddau. ''Sdim rhyfedd,' meddai. 'Roedd hi wastad yn ennill.'

'Tan nawr,' meddai Non.

19

Galw enwau

Roedden nhw wedi gorffen edrych drwy'r llythyron a'r dyddiaduron cyn sylwi fod Steffi ar goll. Aeth y giang i chwilio amdani.

Daethon nhw o hyd iddi o'r diwedd yn y cwpwrdd yn y feithrinfa. Roedd hi wedi colli arni ei hun.

'Gadewch fi'n llonydd, gadewch fi'n llonydd!' llefodd gan wingo'n wyllt. 'Na, na, peidiwch diffodd y golau! Peidiwch, wir! Dwi ofn y tywyllwch . . .'

'Mae hi'n hollol dw-lali,' meddai Jason.

Roedd hi'n gwrthod edrych arno, a swatiai'n fwndel bach blêr yng nghornel y cwpwrdd. Wnâi hi ddim dod allan. Roedd ei llygaid yn bŵl.

'Steffi, fi sy 'ma—Jason. Mae pawb 'ma,' meddai. 'Dy ffrindie di i gyd.'

'Mae rhywbeth wedi'i dychryn hi,' meddai Clare.

'Maen . . . maen nhw mewn fan hyn.' Crynodd Steffi. 'Plant. Maen nhw mor oer . . . mor oer . . .

llaith . . . ofnadwy. Fe d . . . d . . . dwyllon nhw fi. Allwn i ddim gweld. Fe lewyges . . .'

Edrychodd Non a Mel ar ei gilydd.

Yn sydyn cododd Steffi ar ei thraed a cherdded yn herciog o'r cwpwrdd i freichiau Non. 'Mae'n ddrwg gen i, Non. O, mae'n ddrwg gen i,' sibrydodd.

'Paid â sôn,' meddai Non. Cydiodd yn llaw Steffi a'i harwain o'r stafell gythryblus. 'Mae'r cyfan drosodd nawr.'

Gadawodd Steffi i Non ei harwain tuag at y drws agored, at y golau. Wrth iddi fynd heibio i'r silff-ben-tân, cipedrychodd ar y llun ar y wal uwchben. Roedd y pedwar plentyn yn mynnu ei sylw. Roedd rhywbeth wedi newid . . . Safai'r plant yn union fel o'r blaen, yn yr union le, yn yr union ddillad. Ond er nad oedden nhw wedi symud llaw na throed, roedd yr olwg ar eu hwynebau wedi newid.

Yn lle'r olwg drist, gyhuddgar, gwenai'r plant yn ddireidus, fel petaen nhw'n rhannu cyfrinach.

Yna fe wyddai Steffi, heb amheuaeth, mai dyna'r plant oedd wedi ei denu i'r cwpwrdd. Eu dwylo llaith fu'n ei phwnio a'i phryfocio yn y tywyllwch. Baglodd, tynnodd ei llaw dros ei thalcen a dechrau mwmian yn isel.

Roedd ei choesau'n gwegian, ond roedd Non yn gafael ynddi a, gyda help Mel, aeth â Steffi allan o'r stafell.

'Beth ŷn ni'n mynd i wneud nawr 'te?' meddai Mel pan oedd pawb yn ôl yn y parlwr. Roedd y golau'n gweithio unwaith eto a diffoddwyd y canhwyllau. Yn sydyn roedd 34 Gerddi Lelog yn llai dychrynllyd.

'Mae'r dyddiaduron yn profi mai celwyddgi a thwyllreg oedd Harriet,' meddai. 'Ond beth wnawn ni â nhw?'

Non gafodd ateb i'r broblem. 'Beth am eu hanfon nhw i'r papur lleol?' meddai.

'Syniad gwych,' meddai Matt. 'Mae *Herald Tredalar* yn dwlu am unrhyw hen sgandal. Maen nhw'n siŵr o wneud sbloet.'

Roedd Matt yn llygad ei le. Ychydig wythnosau'n ddiweddarach, ymddangosodd y stori gyfan ar dudalennau pedwar a phumP yr *Herald* o dan bennawd bras:

CYFRINACH WARTHUS HARRIET LLWYD

Roedd yr erthygl yn cynnwys pigion o ddyddiaduron Harriet Llwyd, copïau o hen ffotograffau a llun o 34 Gerddi Lelog ar y dydd yr agorwyd y cartre plant.

O dan yr is-bennawd **'Llythyron o'r bedd'** atgynhyrchwyd nifer o lythyron 'gwylaidd' Miss Llwyd ac yn eu hymyl llythyron S. Ll. Yn ôl y papur, ei brawd, Sam Llwyd oedd hwnnw. Dros y blynyddoedd, roedd e wedi helpu ei chwaer i guddio'i harian twyll ond, yn 1911, diflannodd yn ddirybudd a welodd neb mohono byth wedyn.

Wnaeth yr erthygl ddim esbonio sut y darganfuwyd y dyddiaduron na'r llythyron. Doedd Non a'r lleill ddim wedi sôn wrth neb am Martha na'r digwyddiadau rhyfeddol. Pwy fyddai wedi credu ta beth? Fe ddysgon nhw un neu ddau o bethau wrth ddarllen yr erthygl, ond dim byd syfrdanol iawn.

Bu farw Miss Llwyd yn 1919 ar ôl cyrraedd oedran teg a heb ddifaru dim am ei holl ddrygioni. Roedd hi wedi gwerthu'r tŷ—34 Gerddi Lelog—i Ffred am swm sylweddol iawn. Buddsoddodd yr arian mewn cynllun 'elusennol' arall. Fe fu farw'n fenyw gyfoethog dros ben, er na ddaeth neb o hyd i'w ffortiwn.

Roedd un sioc arall i ddod, pan draddododd y brifathrawes ei haraith ar ddiwrnod ola'r tymor yn Ysgol Uwchradd Harriet Llwyd. 'Ac felly, ddisgyblion, rhieni a ffrindiau,' meddai a'i llais yn atsain drwy'r neuadd lawn. 'Dyma'r gwasanaeth olaf a gynhelir yn Ysgol Uwchradd Harriet Llwyd. Rydyn ni'n falch iawn o'n hetifeddiaeth, yn falch o'r hyn rydyn ni wedi'i gyflawni, ond yn anffodus, dydyn ni ddim yn falch o'r enw Harriet Llwyd.'

Aeth si drwy'r neuadd. Edrychodd Steffi, Mel a Non ar ei gilydd. Beth fyddai'n dod nesa?

'Y tymor nesaf fe fyddwn ni i gyd yn

ymgynnull yn yr un adeiladau gyda'r un brwd-
frydedd a'r un awch am wybodaeth . . .' Anodd
credu! Cipedrychodd Steffi ar Mel a chwerthin.
'Ond y tymor nesaf fe fyddwn ni'n cychwyn
pennod newydd yn hanes ein hysgol. O hyn allan
ei henw fydd Ysgol Uwchradd Tredalar.'

Curodd pawb eu dwylo'n frwd, dechreuodd y
band chwarae Rhyfelgyrch Gwŷr Harlech a
cherddodd y gynulleidfa allan yn ara bach.

Cydiodd Mel ym mreichiau ei dwy ffrind.
Gwenodd Steffi ar Non, winciodd Non ar Steffi.
Aeth y merched allan i'r iard lle'r oedd haul y
gaeaf yn tywynnu.

'Mae hi wedi mynd,' meddai Non.

'Pwy?' gofynnodd Mel a Steffi gyda'i gilydd.

'Martha,' meddai Non. 'Alla i mo'i theimlo hi
nawr. Mae hi'n hapus a dw inne ar fy mhen fy
hun o'r diwedd.'

'Na, dwyt ti ddim,' gwenodd Steffi. 'Mae Mel a
fi yma gyda ti, cofia.'

'Ydyn!' meddai Mel. 'Ac mae'n ddechrau'r
gwylie!'

Wyt ti'n ddigon dewr i ddarllen
stori arall yng nghyfres *Gwaed Oer*?

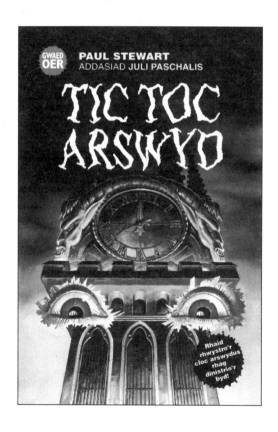

TIC TOC ARSWYD

Estynnodd Glyn ei fraich yn ofalus drwy'r drysi—
gan hanner disgwyl teimlo poen erchyll
wrth i ddannedd miniog blaidd
dreiddio drwy'i groen.

Doedd dim blaidd . . .
ond roedd yr hyn y cyffyrddodd ynddo
yn taro milwaith mwy o ofn yn ei galon.

Peth oer, caled a llyfn oedd dan ei law.
Yr union beth yr oedd wedi'i gyffwrdd
o'r blaen—yn ei hunllef.
Roedd wedi teimlo calon oer, arswydus,
y Cloc Tynged!